〔清〕王夫之著

尚書引義

中華書局

圖書在版編目(CIP)數據

尚書引義/(清)王夫之著;王孝魚點校. —北京:中華書局,1962.7(2024.5重印)
ISBN 978-7-101-06626-5

Ⅰ.尚… Ⅱ.①王…②王… Ⅲ.①中國-古代史-商周時代②尚書-研究 Ⅳ.K221.04

中國版本圖書館CIP數據核字(2009)第032569號

責任印製:管 斌

尚書引義
〔清〕王夫之 著
王孝魚 點校
*
中華書局出版發行
(北京市豐臺區太平橋西里38號 100073)
http://www.zhbc.com.cn
E-mail:zhbc@zhbc.com.cn
三河市宏盛印務有限公司印刷
*
850×1168毫米 1/32 · 5⅝印張 · 2插頁 · 122千字
1962年7月第1版 2024年5月第6次印刷
印數:123201-123800册 定價:26.00元

ISBN 978-7-101-06626-5

點校說明

尚書引義是王夫之（一六一九——一六九二年）發揮他的哲學、政治思想的重要著作之一。王夫之引申古文尚書之義，「借題發揮」他自己的意見。全書分六卷，一、二卷論虞夏書，三卷論商書，四、五、六卷論周書。共計四十九篇，每篇各有它的中心論點，篇與篇之間，並無有機的聯繫。

王夫之自己沒有提到本書的寫作年代。但是他在讀四書大全說中曾多次提到「其義詳尚書引義」，或「詳見愚所著周易外傳」。可見本書和周易外傳作於讀四書大全說之前。王夫之建立他的哲學體系是從易經研究入手的，周易外傳又是他最早的哲學著作，則引義又當作於外傳之後。外傳於一六五五年開始寫作，讀四書大全說成於一六六五年，因此，引義之作，初步推論，當在一六五五年到一六六五年之間。不過，由於本書每篇都可獨立，在他生前也沒有刊行，對於原稿隨時有修訂、增補的可能。如卷五多方篇第二論，據劉毓崧跋指出，「殷之頑民」係影射吳三桂。吳三桂反淸在一六七三年，而船山拒絕替吳氏作勸進表在一六七八年。如果劉毓崧的推斷是對的，則在一六六五年以後，王夫之對本書還有所增補。

尚書引義的內容，首先是王夫之對於明代政治的批判。例如堯典第二篇，既論命相的重要，又在周官篇發揮文王不置相的流弊，是譏刺明代自朱元璋不設丞相，數傳之後，大權旁移，因而亡國。舜典第二篇指陳嚴刑峻法之非，第四篇痛斥恢復肉刑之害，呂刑篇又詳論五刑五罰之慘，是譏刺明代過於重用刑罰，摧殘民命。其他可舉事例尚多。四庫全書總目提要和劉毓崧跋中也都舉了些例子，可供參閱。書中發揮哲學思想的部分，集中於攻擊老、莊、陸、王之學和佛家的惟心惟識之論。王夫之的唯物主義體系，在周易外傳裏確立了基礎，在本書裏有了進一步的發展。

本書以曾刻本船山遺書爲底本，參照湖南省博物館周調陽依嘉愷抄本所作的校勘記和太平洋書店排印本進行了校勘。整理方法與周易外傳相同，詳該書點校說明。書中大多數校改處根據抄本；二一頁一三行係據劉毓崧校勘記；一八頁一二行、四五頁八行、四八頁一二行、五五頁一四行、七九頁一五行、八九頁一〇行、一一八頁三行、一五一頁一四行哲字是點校者校改的。

四庫全書總目將本書著錄於經部存目，並有提要作簡單介紹。曾刻本把提要刊列本書卷首，劉毓崧跋原列卷末。這兩篇文字，都是站在「正統」派立場立論的，但是有可以供讀者參考之處，現在都給移置卷末，作爲附錄。

本書整理工作中可能有錯誤和缺點，希望讀者指正。

點校者識　一九六一年十月

目録

卷五

卷六

附錄

尙書引義卷一

堯典一

聖人之知，智足以周物而非不慮也；聖人之能，才足以從矩而非不學也。是故帝堯之德至矣，而非「欽」則亡以「明」也，非「明」則亡以「文思安安」而「允恭克讓」也。嗚呼！此則學之大原，而爲君子儒者所以致其道矣。

何以明其然邪？天下之爲「文、思、恭、讓」而不「明」者有之矣，天下之求「明」而不「欽」者有之矣。不「欽」者非其「明」，不「明」者非其「文、思、恭、讓」也。「文」有所以文，「思」有所以思，「恭」有所以恭，「讓」有所以讓，固有於中而爲物之所待，增之而無容，損之而不成，舉之而能堪，廢之而必悔。凡此者，明於其所以，則安之而允安矣；不明其所以，將以爲非物之必待，將以爲非己之必勝，將以爲惟己之所勝而蔑不安，將以爲絕物之待而奚不可。不明者之害有四，而其歸一也。

以爲非物之必待者曰：「物自治也，即其不治者猶治也。以『文』治之而物琢，以『思』治之而物滑，以『恭』治之而物擾，以『讓』治之而物疑。夫物固自治，而且治之，是亂物也，則莫若絕聖而棄智。」此無他，不明於物之必待也。物之必待者，物之安也。何以知物之安也？且夫物之自治者，固不治也。苟簡以免一日之禍亂，而禍亂之所自生在是也。若夫不治者之猶治也，是其言也，爲欺而已矣。明於其必待，而後聖人固曰，物自有之，待我之先而已矣。乃若琢者則惟其無「文」，滑者則惟其不「思」，擾者則惟其未「恭」，疑者則惟其弗「讓」。信能之，未有罹此四患者也。

以爲非己之必勝者曰：「道不可盡，聖人（非）〔弗〕盡；時不可一，聖人弗一。是故堯有不令之子，舜有不諧之弟，夏有不輯之觀、扈，周有不若之商、奄。堯有不令之子，胡亥之淫，非始皇之失敎也。舜有不諧之弟，大叔之叛，非鄭莊之養惡也。夏有不輯之觀、扈，藩鎭之逆，非盧杞之姦也。周有不若之商、奄，七國之反，非鼂錯之激也。然則天下者，時勢而已矣。乘其時，順其勢，或右武以絀『文』，或立斷以廢『思』，雄才可任而不必於『恭』，盛氣能爭而何容多『讓』。是故操之以刑，畫之以名，敺之以法，馭之以術，中主具臣守之而可制天下。」此無他，不明於己之所必勝也。夫惟不得於天而後己可用也，惟見詘於時而後道可伸也。堯有不令之子而不爭，舜有不諧之弟而不弑，夏有不輯之觀、扈而不敗，周有不若之商、奄而不危。是故質立而「文」必生，物感而「思」必起；退而自念，則自作其「恭」；進而交物，則不容不「讓」。內取之身，外取之物，因其自然之成，能以坐消篡弑危亡之禍。明乎此，則何爲其不勝！

以爲惟己之所勝而無不安者曰：「『文』日生也，『思』日益也，『恭』有權也，『讓』有機也。聖人之所爲，天無與授，地無與制，前古無與詔，天下無與謀。可以爲而爲之，聖人已爲矣。可以爲而爲之，我亦爲也。其未爲者，彼之未爲而非不可爲也。非不可爲，而我可以爲矣。於是窮亡實之『文』而『文』淫，馳不度之『思』而『思』荒，貌以『恭』而『恭』以欺，飾以『讓』而『讓』以賊。故蔡京以豐亨豫大爲『文』，曹叡以辨察苛細爲『思』，漢成以穆皇文致其慆淫，燕噲以禪授陸沈其宗社。」此無他，不明於惟己勝者之非可安也。天無與授，而授之以宜其民；地無與制，而制之以當其物；前古無與詔，而考之也必其不謬；天下無與謀，而徵之者必其咸服。明於其故，如寒裘而暑葛也。臧惟二耳，而白馬固馬也。

以爲絕物之待而無不可者曰：「物非待我也，我見爲待而物遂待也。執我以爲物之待而我礙，執物以爲待我而物亦礙。徇物之華，『文』以生妄；逐物之變，『思』以益迷；欲以示威於物，『恭』以增憍；欲以干譽於物，『讓』以導欲。欲四者之病不生，則莫若絕待。內絕待乎己，外絕待乎物。絕己絕物，而色相以捐：寂光之照，無有不『文』也；參證之悟，無所容『思』也；行住坐臥，如如不動，亦『恭』也；貲財妻子，喜舍不吝，亦『讓』也。乃以廢人倫，壞物理，握頑虛，蹈死趣，而曰吾以安於所安也。」此無他，不明於物之不可絕也。且夫物之不可絕也，以己有物；物之不容絕也，以物有己。己有物而絕物，則內戕於己；物有己而絕己，則外賊乎物。物我交受其戕賊，而害乃極於天下。況夫欲絕物者，固不能充其絕也。一眠一食，而皆與物俱；一動一言，而必依物起。不能充其絕而欲絕之，物且前卻而困己，己且齟齬而自困。則是害由己作，而旋報於己也。故聖人因其所待而必授之：樸者授之以「文」，率者授之以「思」，玩者授之以「恭」，亢者授之以「讓」。泰然各得其安而無所困，則己眞有其可，而非其無不可，固知無不可者之必不可矣。

由此言之，聖人之所以「文、思、恭、讓」而「安安」者，惟其「明」也。「明」則知有，知有則不亂，不亂則日生，日生則應無窮。故曰：「日新之謂盛德，富有之謂大業」，此之謂也。「盛德」立，「大業」起，「被四表」，「格上下」，豈非是哉！

雖然，由「文、思、恭、讓」而言之，「明」者其所自生也。若夫「明」而或非其「明」，非其「明」而不足以生，尤不可不辨也。「明」、「誠」，相資者也，而或至於相離。非「誠」之離「明」，而「明」之離「誠」也。「誠」者，心之獨用也。「明」者，心依耳目之靈而生者也。夫抑奚必廢聞見而孤恃其心乎？而要必愼於所從。立心以爲體，而耳目從心，則聞見之知皆誠，理之著矣。心不爲之君，而下從乎耳目，則天下苟有其象，古今苟有其言，理不相當，道不自信，而亦捷給以知（見）之〔利〕。故人之欲「誠」者不能即「誠」，而欲「明」者則輒報之以「明」也。報以其實而「實明」生，報之以浮而「浮明」生。浮以求「明」而報以實者，未之有也。

「浮明」者，道之大賊也。其麗於「文」，則亦集形聲以炫其榮華也。其麗於「思」，則亦窮纖曲以測夫幽隱也。以言乎「恭」，則亦辨貞淫於末節以致戒也。以言乎「讓」，則亦揣物情之逆順以弗侮也。恍惚之閒，若有見焉；窅寂之中，若有聞焉；介然之幾，若有覺焉。高而亢之，登於九天；下而沈之，入於九淵；言之而不窮，引之而愈出。乃以奡岸於世曰：「予既已知之矣，」而於道之誠然者，相似以相離，相離以相毀。揚雄、關朗、王弼、何晏、韓愈、蘇軾之徒，日猖狂於天下；而張子韶、陸子靜、王伯安竊浮屠之邪見，以亂聖學。爲其徒者，弗妨以其耽酒嗜色，漁利（刺）〔賴〕寵之身，蕩閑蔑恥，而自矜妙悟焉。嗚呼！求「明」之害，尤烈於不「明」，亦至此哉！

夫聖人之「明」，則以「欽」爲之本也。「欽」之所存而「明」生，「誠則明」也。「明」之所照而必「欽」，

「明則誠」也。「誠」者實也：實有天命而不敢不畏，實有民彝而不敢不祗；無惡者，實有其善，不敢不存也；至善者，不見有惡，不敢不愼也。收視聽，正肢體，謹言語，愼動作，整齊寅畏，而皆有天則存焉。則理隨事著，而「明」無以加，「文、思、恭、讓」，無有不「安」也。而尹和靖曰：「其心收斂，不容一物」，非我所敢知矣。

「欽」之爲言，非徒敬之謂也，實有所奉至重而不敢褻越之謂也。今曰「不容」，「不容」者何物乎？天之風霆雨露亦物也，地之山陵原隰亦物也；則其爲陰陽、爲柔剛者皆物也。物之飛潛動植亦物也，民之厚生利用亦物也；則其爲得失、爲善惡者皆物也。凡民之父子兄弟亦物也，往聖之嘉言懿行亦物也；則其爲仁義禮樂者皆物也。若是者，帝堯方日乾夕惕以祗承之，念茲在茲而不釋於心，然後所「欽」者條理無違，而大明終始，道以顯，德行以神。曾是之不容，則豈非浮屠之「實相眞如，一切皆空」，而「威侮五行，怠棄三正」，亦其所不恤矣。無已，其以聲色臭味，增長人欲者爲物乎？而又豈可屏絕而一無所容乎？食色者，禮之所麗也。利者，民之依也。辨之於毫釐而使當其則者，德之凝也，治之實也。自天生之而皆「誠」，自人成之而不敢不「明」。故以知帝堯以上聖之聰明，而日取百物之情理，如奉嚴師，如事天祖，以文其「文」，思其「思」，恭其「恭」，讓其「讓」，成「盛德」，建「大業」焉。心無非物也，物無非心也。故其聖也，如天之無不覆幬，而「俊德」「九族」(四門)「百姓」「黎民」「草木鳥獸」，咸受化焉。聖人之學，聖人之慮，歸於一「欽」，而「欽」之爲實，備萬物於一己而已矣。其可誣哉！其可誣哉！

堯典二

昔夫子之贊堯、舜，至矣；而其舍子以授賢，未之及焉。審乎此，而唐、虞之際有定論矣。人之親其子也，而靳與之位以授異姓，三代以降，未有能焉者，而不以爲盛德之極致；然則夫子其以爲非常而不可訓與？曰：非也。古者無君存而立世子之禮。其立嗣也，肇於夏而定於周也。古之有天下者，皆使親而賢者立乎輔相之位，儲以爲代；其耄且沒矣，而因授之，人心定而天位以安。黃帝以前，不可考也。繼黃帝而興者，率循其道。然則以相而紹位，其軒轅之制乎！故少昊，軒轅之孫也，降江水，就侯服，入而代黃帝；顓頊，少昊之弟也，佐少昊十年而代少昊；高辛，顓頊之從子也，佐顓頊二十五年而代顓頊；堯，帝摯之弟也，佐摯五年而代摯。蓋古之命相，猶後世之建嗣。堯不傳子，亦修軒轅之法爾。

少昊、顓頊、高辛，以洎於摯、堯，親以賢者近取之兄弟子姓，而前可以相，後可以帝，地邇勢易，不假於側陋而事順。其事順，故以帝摯之不順，弗能違焉。堯之在位七十載，而親以賢者未有其人，亦遲之七十載而未有相也。而堯已耄期矣，故不獲已而命之四岳。使微舜，四岳雖欲終讓而不得矣。若舜之倦勤，禹已久卽百揆之位，無異乎顓頊之十年，高辛之二十五年也。終陟元后，又何疑焉！故曰：五帝官天下。官天下者，五帝之通典，豈堯、舜之僅德哉？

堯在位七十載而未有相，變也。使四岳而不得辭，則以侯陟帝，循少昊之已事，而不必於相。舜舉側陋，非有江水可興之素，則必以相承統，用顓頊、高辛之典禮。故由徽庸、總揆、賓門、納麓，以訖受終，凡三十載而後格於文祖，事以漸而信從壹焉。浸使四岳受巽位之命，固不待於此矣。

五帝之援立也夙，三王之建儲也早；近而百工，遠而九服，疏賤而兆民，耳目一，聽從審，引領而望曰：「此他日之君我者也」，日用不知而習以安。故曰：「天視自我民視，天聽自我民聽。」四海翕從，而莫有異志，斯以謂之天矣。堯因法而從時，因人而順天，非有異也。是故無與於堯之高深矣。

古之帝王，顧大位之將有託也，或命相而試以功，或立子而豫以教。立子以適而不以賢，立而後教之，故三代崇齒胄之禮。命相以德而不以世，故唐、虞重百揆之任。試而命之，以重其禮也；立而教之，以成其德也。定民志者存乎禮，堪大業者存乎德。德其本也，禮其末也。本末具舉，則始於無疑，而終於克任矣。試而後命，本先於末；立而後教，末先於本。先難而後以易，故堯遲之七十載，而以不得舜爲己憂。先末而後本，則初吉而終或亂，故桀、紂、幽、厲得奄有四海，待湯、武而後革。

雖然，法豈有定邪？知人之哲如堯、舜，不易得也。教胄有恆而中主可守也。則試而後命，立而後教，義協於一而效亦同。迨其弊也：秦失其本於後，而胡亥速亡；漢、魏亂其末於先，而逆臣繼篡。（則）〔所〕必盡者人也，不可恃者法也。固不得以堯之授舜，舜之授禹，爲必治不亂之道；又惡足以爲二帝之絶德哉？況堯之以因而不以創，卽有德焉，亦歸之軒轅，而堯不任受乎？蘇氏曰：「聖人之所大過人，而天下後世之所不能」，斯亦未達於時之勸說已！

至若莊周創立王倪、齧缺、披衣、支父、善卷、伯昏之名，而謂聖人桎梏神器，左顧右盼，索草野畸人以代己而脫於樊，若稚子之獲窖金而無所措也，亦陋甚矣。「聖人之大寶曰位」，位者天之所秩以崇德而廣業也。自謀其荒耄之樂，遽求夫褰裳之去，褻天經，慢民紀，以亂天下而有餘矣。「予無樂乎爲君」，一言而喪邦，此之謂也。

孟子「敝屣」之論，父將罹執而卽刑，天下故敝屣矣。垂衣倦勤而敝屣乎天下，其與敝屣君親者又何殊焉！莊周曼衍之辭，奚足以存哉！

然則稷、契皆堯弟也，以親以賢，無異於堯、摯，高辛、顓頊之相承，散置之有位而不以相，逮耄及而迫以命之四岳，何也？

稷、契之不可以相而授也，堯知之，四岳明揚而弗及，四岳且知之；而非立乎千世以下者之得知矣。其德稱一官而有所限與！其年未及而望且輕與！堯非故抑之，四岳亦無所媢焉，斯必有其故矣。德者望之基，望者德之助。舜德優於望，四岳望優於德。稷、契望絀於四岳而德不逮舜，堯所不能強也，而況於王倪、齧缺之區區！

舜典一

舜之升聞也，師錫帝堯者曰：「有鰥在下，克諧以孝，烝烝乂，不格姦。」舜之德，自孝而外，未有聞也。非其無以聞也，亦非其韜光斂采而不欲聞也。虞幕之後，降爲庶人，雖欲章之，末由章之，則固不得而聞矣。迺其僅章於孝者，父子兄弟之變也，舜且引以爲疚，不顯居以爲德矣。潛移密化之烝乂，名有所必辭，事有所必隱，事隱而無可聞，名辭而不可見，史以謂之「玄」，職此故也。藉令舜紹虞幕之業，處天倫之常，光被邦家，勳施下土，史不得以玄言之矣。

「濬哲文明」，非玄以爲知，「溫恭允塞」，非玄以爲行也。玄也者，潛也；「隱而未見，行而未成」之謂也。夫「君子以成德爲行，日可見之行」，豈欲其不見而不成也哉？不可見而不見，不可成而不成，君子以敦隨時之義。「濬哲文明」，德成於知，「溫恭允塞」，德成於仁，〔成〕而可行矣。然而玄焉者其時也。舜之「玄」，玄以時而不以德明矣。

且夫「玄」之爲言，不可測之辭也。不可測者，非其正也。易曰：「天玄而地黃。」地不適黃而象以黃，天不固玄而象以玄，非名之從實者也。莊周曰：「天之蒼蒼者，其正色邪？其遠而無所極邪？其視下，亦若此而已矣。」則玄非天之正色，從人之不可見者言之爾。故象潛德者，以其隱而未著者，託於無所極，以命之曰玄，亦非舜之固以玄爲德也。玄非正色而無實，君子固不以爲德。亟言玄者，老聃之說也。是以知其德之非正也。

人於其所不見，以不玄視玄，而玄在己。乃己固無有實也，則以玄視不玄，而玄又在他。德非正者，邪也。視己視他而俱在者，妄也。邪不可以爲德，妄不足以有成。故其言曰：「大道汎兮，其可左右」，我是以知其弗正；「大成若缺」，我是以知其不成。則以非老子視老子，而老子玄。以老子視非老子，而非老子者又胡不玄也！何也？不俾人見，不俾人知，互相逕庭而不測；無定質，無固實，無必正色，蟲臂鼠肝而玄，支離兀者而玄；必且詭言譎行，挾詐藏姦，無父無君而無不玄矣。嗚呼！孰謂舜而以此爲德哉！

「濬哲文明」以光昭其知，「溫恭允塞」以駿發其行，處深山，臨憂患，而光明赫奕之氣不可遏也。從五典，敍百揆，賓四門，格大麓，殛大姦，晉羣賢，庸有必奮，載有必熙，豈嘗韜光同塵，以蒼蒼之無正色者爲師，而徜徉乎不測之域，曰「衆妙之門」也哉？

妙也者，所以爲利也。劫持天下而潛用之，取與陰陽而密（刺）〔制〕之；己所獨喻，人所不得而見之。我知其所懷來矣，陰持人所不覺而利存焉耳。子曰：「小人喻於利」，密知而不洩之謂也。「玄之又玄」者，不謂之小人奚得哉！

是故君子擇善以法天。法天之正，極高明也，彊不息也。不法天之玄，玄非天之正也。玄非天正，人玄天也。人玄天，天亦玄人。豈猶夫高明而健行者，易知可親，而已不可階升者乎？易固曰：「龍戰於野，其血玄黃。」疑而戰，戰而血，血而玄，而龍傷矣。其位潛，其時疑，其志傷，舜德以玄焉。玄者，聖人之不幸也。父非瞽瞍，弟非象，居非木石，遊非鹿豕，何爲其玄哉？

舜典二

「敬」以嚴乎己也，「寬」以恕乎物也。嚴乎己以立法，恕乎物以達情。春秋立法謹嚴而宅心忠恕，「敬敷五教在寬」之見諸行事者也。

夫司徒之教，五品而已。人之異於禽，華之異於夷，此也。禽偏而不全，夷略而不詳。偏則亦有至焉矣，略則亦姑備焉矣。然則以五教求異於彼，覈其大全而致其精詳，固不容於寬矣。易知簡能而持以寬，無亦幾微不審，名異禽(獸)〔狄〕，而實有同焉者乎！朱子曰：「反之於嚴，矯之而後得其常」，職此謂也，而實有不然者。

五教者，禮之本也。禮者，刑之相與爲出入者也。出乎禮，斯入乎刑矣。刑者，箝之使合，抑之使受也。不親者豈箝之而親，不遜者豈抑之而可使遜哉？

且夫人之敢於無禮於君親者，非盡不畏清議而肆爲之也。其始也，荏苒於貨財妻子，以生嫌隙；其既也，睽孤有鬼豕之疑，而不蒙遇雨之釋。操之已蹙，勢重難反，則處無將之地，而見絕於賢人君子者，已無可湔洗之一日；於是以成不忠不孝之巨慝，君無所用其威，師無所用其戒，而帝王之教思亦窮。是故夏楚之收，以施於絃誦之不率，而司徒之教，未聞撻子以使孝，扑弟以使順也。夫人自有其父子、兄弟、夫婦、朋友之情，待教於人，然且不謹而又蒙刑罰，豈復有拂拭自新，以立於人世之理哉？唐賜于公異以孝經，而公異落拓以終其身，況有加於此者乎？

若夫中人以上，所遇不幸，用意未至迷瞀，以乖於親遜者，無以利導而予之安，則亦周章纆棘，自困於名教之地，救過不遑，而忠孝之心，抑不足油然以生。

是則嚴以教君子而阻其自然之愛敬，嚴以教小人而激其滔天之巨惡。通於古今，達於四海，咸以寬而成其涵泳熏陶之化。奈之何其欲「矯之以嚴」邪？

宋之立國，寬柔已過，馴至不競，君子之所傷也。然其所爲弊者政也，非教也。教雖未純乎先王之道法，而不以束溼待學校，俾得以寬衍之歲月，緝先王之墜緒，胡安定、孫明復倡之，濅昌濅明，底於濂、雒、關、閩之盛。「在寬」之效，亦可覩矣。

蕭梁之世，戚近之臣，除喪初見而無毁容者，皆切責而廢棄之。於是有含辛以爲淚，及禫而節食者，罔上欺天，以避誹譏，而天眞泯絕。馴至其極，侯景一叛，父子兄弟相戕相滅，彝倫斬而國亦隨亡。無他，弛敬於立敎之身，而過嚴於物也。

故君子所甚嚴者法，故能養之孝，而下斥之犬馬；所必寬者情，故閨門蔑亂，而僅曰帷薄不修。惟其敬也，則亦重愛其名，而不忍以不親不遜之大慝，加諸與同覆載之人羣。藉其不然，閨庭小有不謹，忮媢者翹之以相告訐，形迹可摘，證佐罔徵，蔣之奇以陷歐陽修，溫體仁以殺鄭鄤，毒流於搢紳，害傾夫人國。自非漢高之明，景帝之察，陳平伏死於歐刀，直不疑赭衣於司寇，天錫烝民之五品，爲酷吏姦臣之羅織經而有餘矣。

法立於畫一，以別嫌而明微；敎養以從容，或包荒而養正。君子所甚懼者，以申、韓之酷政，文飾儒術，而重毒天下也。朱子於此，有遺議矣。唐仲友之不肖，夫人而知之也。王淮之黨姦，亦夫人而知之也。蠹國殃民，黨邪醜正，暴之市朝，彼何所辭？而以醉飽房帷之事，假嚴蘂以致之罪，則仲友之罰，可矜疑於風波，而鍛鍊鉗網之名，反歸之君子。矯之以嚴，欲辭申、韓之過而不得矣。

士師之職，「惟明克允」，司徒之命，「敷敎在寬」。刑禮異施，弛張順道，百王不易之則，以扶進人心，昭明天彝者，此也。子曰：「欲速則不達，見小利則大事不成。」小快其疾惡之心，速效於一切之法，作之君，作之師，以綏四方，詎勝其任與！

舜典三

詩所以言志也，歌所以永言也，聲所以依永也，律所以和聲也。以詩言志而志不滯，以歌永言而言不鬱，以聲依永而永不蕩，以律和聲而聲不詖。君子之貴於樂者，貴以此也。

且夫人之有志，志之必言，盡天下之貞淫而皆有之。聖人從內而治之，則詳於辨志；從外而治之，則審於授律。內治者，愼獨之事，禮之則也。外治者，樂發之事，樂之用也。故以律節聲，以聲叶永，以永暢言，以言宣志。律者哀樂之則也，聲者淸濁之韻也，永者長短之數也，言則其欲言之志〔而〕已。

律調而後聲得所和，聲和而後永得所依，永得所依而後言得以永，言得永而後志著於言。故曰：「窮本知變，樂之情也。」非志之所之，言之所發，而卽得謂之樂，審矣。藉其不然，至近者人聲，自然者天籟，任其所發而已足見志，胡爲乎索多寡於羊頭之黍，問修短於嶰谷之竹哉？朱子顧曰：「依作詩之語言，將律和之；不似今人之預排腔調，將言求合之，不足以興起人。」則屈元聲自然之損益，以拘桎於偶發之話言，發卽樂而非以樂樂，其發也奚可哉！

先王之敎，以正天下之志者，禮也。禮之旣設，其小人恆佚於禮之外，則輔禮以刑；其君子或困於禮之中，則遠禮以樂。禮建天下之未有，因心取則而不遠，故志爲尙。刑畫天下以不易，緣理爲準而不濫，故法爲侀。樂因天下之本有，情合其節而後安，故律爲和。舍律而任聲則淫，舍永而任言則野。旣已任之，又欲強使合之。無修短〔而〕〔則〕無抑揚抗墜，無抗墜則無唱和。未有以整截一致之聲，能與律相協者。故曰：「依詩之語言，將律和之」者，必不得之數也。

記曰：「樂者，音之所由生也。其本在人心之感於物也。」此言律之即於人心，而聲從之以生也。又曰：「知聲而不知音，禽獸是也。知音而不知樂，衆庶是也。惟君子爲能知樂。」此言聲永之必合於律，以爲修短抗墜之節，而不可以禽獸衆庶之知爲知也。

今使任心之所志，言之所終，率爾以成一定之節奏，于喁嘔啞，而謂樂在是焉，則蛙之鳴，狐之嘯，童穉之伊吾，可以代聖人之制作。然而責之以「直溫寬栗，剛無虐，簡無傲」者，終不可得。是欲即語言以求合於律呂，其說之不足以立也，明甚。

朱子之爲此言也，蓋徒見三百篇之存者，類多四言平調，未嘗有腔調也，則以謂房中之歌，笙奏之合，直如今之吟誦，不復有長短疾徐之節。乃不知長短疾徐者，闔闢之樞機，損益之定數；記所謂「一動一靜，天地之閒者也」，古今雅鄭，莫之能違。而鄉樂之歌，以瑟浮之，下管之歌，以笙和之，自有參差之餘韻。特以言著於詩，永存於樂，樂經殘失，言在永亡，後世不及知焉。豈得謂歌、永、聲、律之盡於四言數句哉？

漢之鐃歌，有有字而無義者，收中吾之類。鐃歌之永也。今失其傳，直以爲贅耳。當其始製，則固全憑之以爲音節。以此知升歌、下管、合樂之必有餘聲在文言之外，以合聲律，所謂永也。刪詩存言而去其永，樂官習永而墜其傳，固不如鐃歌之僅存耳。

晉、魏以上，永在言外。齊、梁以降，永在言中。隋、唐參用古今，故楊廣江南好，李白憶秦娥、菩薩蠻之製，業以言實永；而陽關三疊、甘州入破之類，則言止二十八字，而長短疾徐，存乎無言之永。言之長短同，而歌之襯疊異，固不可以甘州之歌歌陽關矣。至宋而後，永無不言也。永無不言而古法亡。豈得謂之古之無永哉？

以理論之，永在言外，其事質而取聲博；以言實永，其事文而取聲精。文質隨風會以移，而求當於聲律者，一也。是故以腔調塡詞，亦通聲律之變而未有病矣。依之爲言，如其度數而無違也，聲之抑揚依永之曼引也。浸使言有美刺，而永無舒促，則以板、蕩、桑柔之音節，誦文王、下武之詩，聲無哀樂，又何取於樂哉？

徒以言而已足也，則求興起人好善惡惡之志氣者，莫若家誦刑書，而人讀禮策。又何以云「興於詩，成於樂」邪？今之公宴，亦嘗歌鹿鳴矣。放辟邪侈之心，雖無感以動；肅雍敬和之志，亦不足以興。蓋言在而永亡，孰爲黃鐘，孰爲大呂，穨然其不相得也。古之洋洋盈耳者，其如是夫？記曰：「歌詠其聲也。」歌詠聲，豈聲詠歌之謂邪？歌詠聲，歌乃不可廢。聲詠歌，聲以強入不親而可廢矣。

若夫俗樂之失，則亦律不和而永不節。九宮之律非律也，沈約、周伯琦之聲非聲也。律亡而聲亂，聲亂而永淫，永淫而言失物，志失紀。欲正樂者，求元聲，定律同，俾聲從律，俾永叶聲，則南北九宮，里巷之淫哇，邊裔之猛厲，見晛自消，而樂以正。倘懲羹吹齏，並其長短、疾徐、闔闢、陰陽而盡去之，奚可哉！

故俗樂之淫，以類相感，猶足以生人靡蕩之心；其近雅者，亦足動志士幽人之歌泣。志雖不正，而聲律尚有節也。故聞河滿子而腸斷，唱「大江東去」而色飛。下至九宮之曲，梁州序、畫眉序之必歡；小桃紅、下山虎之必悲，移宮易用而哀樂無紀。

若夫閭巷之謠，與不知音律者之妄作，如扣腐木，如擊溼土，如含辛使淚而弄腋得笑；穉子腐儒，搖頭傾耳，稍有識者，已揜耳而不欲聞。彼固率衆庶之知，而幾同於禽獸，其可以槪帝舜后夔之格天神，綏祖考，賞元侯，敎冑子，移風易俗之大用哉？

聖人之制律也，其用通之於曆。曆有定數，律有定聲。曆不可以疏術測，律不可以死法求。任其志之所之，限其言之必詘，短音樸節，不合於管絃，不應於舞蹈，強以聲律續其本無而使合也，是猶布九九之算以窮七政之紀，而強盈虛、進退、朒朓、遲疾之忽微以相就。何望其上合於天運，下應於民時也哉？

不以濁則淸者不激，不以抑則揚者不興，不以舒則促者不順。上生者必有所益，下生者必有所損。聲之洪細，永之短長，皆損益之自然者也。古人審於度數，倍嚴於後人，故黃鐘之實，分析之至於千四百三十四萬八千九百七，而率此以上下之。豈章四句，句四言，槪哀樂於促節而遂足乎？志有範圍，待律以正；律有變通，符志無垠；外合於律，內順於志，樂之用大矣。

何承天、沈約以天地五方之數爲言之長短者，誣也。宋濂、詹同之以院本九宮塡郊廟朝會樂歌者，陋也。朱子據删後之詩，永去言存，而謂古詩無腔調者，固也。司馬公泥樂記「動內」之文，責范蜀公之不能舍末以取原者，疏也。重志輕律，謂聲無哀樂，勿以人爲滑天和，相沿以迷者，嵇康之陋倡之也。古器之愁遺，一毀於永嘉，再毀於靖康，並京房、阮逸之師傳而盡廢，哀哉！吾誰與歸！

舜典四

五刑之用，性命以殘，支體以折，痛楚以劇，而僅爲之名曰「象」，豈聖人之忍於戕人而徒醜其象哉？夫死之非患，痛之弗恤，重矜其象，以目治警來者，是聖人以君子之道待天下也。惡死而恤病者，人之所共，亦鳥獸之所共也。象者，人之所恥，非鳥獸之能恥也。創鉅痛深，而惟死之不令，形之不全，則惡而畏之，斯君子之以別於鳥獸。乃聖人以此待放辟邪侈之罷民，則甚矣其不忍以鳥獸之畏惡爲生人之畏惡，而必欲致之於君子也。

雖然，致之君子也者，其名也；殘性命，折支體，劇痛楚者，其實也。名奬而實傷之，帝王之民，雖荼毒而不怨。敎之有素，而矜之以誠，然後使卽刑焉。豈僅曰奬之以君子之道，而可死之、傷之，無不可忍哉？程子曰：「有關雎、麟趾之精意，而後周官之法度可行。」文具無實，則政敎且以滋擾，況無昭明平章之至化，而遽復象刑之辟？其敎也不素，其矜也不誠，徒託於名以戕其實！不仁哉！鍾繇、陳羣之欲以行於曹魏也！

五帝用之，德先之也。三王因之，道未有以易之也。蓋至於春秋，而淑人介士且以爲「游羿之彀中」矣。率天下以「游於羿之彀中」，非至不仁，有不酸心刺骨於斯者乎？朱子曰：「徒流之法，不足以止穿窬淫放之姦。然則三代之季，季康子無可患之盜，而詩無「抱布貿絲」之刺矣。

且夫人之懷姦作慝者，非必淫者不可竊，竊者不欲淫也。淫者宮而足以竊者存，竊者刖而足以淫者存。必欲絕其爲惡之本，則惟殺之而後其本拔。宮之刖之，毋亦僅絕其末乎？此劉頌之詖辭也，君子奚取焉！

與人並齒於天地之間，面已黥矣，趾已兀矣，鼻已毀矣，人道絕而髭已凋音已雌矣，何恤乎其不冒死以求逞於一朝？又姑息憐其無用，引而置之宮府之閒，餘祭之禍發，而不知其凡幾矣！宦寺之惡，稔於士人，惟其無廉隅之惜，子孫之慮耳。故滅漢亡唐，而愍不畏死。原其始，猶夫人之子，而非姦宄之徒也。然且以不恤而傾人之國，又況其以竊以淫而在傍在側也乎？無賴之民，垂涎貂璫之寵，自宮而宮其子以徼幸，國家嘗嚴爲之禁而不能止。害之所倚，利之所伏，彼姦民者又何惡於宮，而不以覬幸於萬一哉？

且夫天之生人，道以成形；而人之有生，形以藏性。二氣內乖，則支體外痿；支體外斷，則性情內椓。故閹腐之子，豺聲陰鷙；浮屠髡髮，安忍無親；逋奴黥面，竊盜益劇。(珽)〔挺〕之矐目，頑讒無憚。形蝕氣虧，符朕必合，則是以止惡之法增其惡也。名示天下以君子，而實成天下之姦回。悲夫！爲復肉刑之議者，其無後乎！

今夫殄人之宗而絕其世，在國曰滅，在家曰毀。罪不逮此，而絕其生理，老無與養，死無與殯；無罪之鬼，無與除墓草而奠杯漿。傷哉，宮乎！均於大辟矣！是故漢文之仁，萬世之仁也。藉其不然，高洋、劉子業、武曌、朱溫以爲之君，義縱、甯成、周興、來俊臣以爲之吏，包拯、海瑞褎然而稱君子，天下生民得全其支體者，百不得一矣。

語曰：「有治人，無治法。」笞、杖、徒、流以爲法而無其人，則今日之天下是已。肉刑以爲法而無其人，昔爲「羿之彀中」，今其漁之竭澤，故曰擇禍莫如輕。賢者創而不肖足以守，乃可垂之百世而禍不延。以舜爲君，皋陶爲士，執笞、杖、徒、流之法，刺天下之姦而有餘。曹羲有言：「在上者洗濯其心，心靜而民足，各得其性，何懼乎姦之不勝？」此之謂也。何事箝緹縈之口，傅曹操之翼，濺血市廷而後允哉？

若夫笞、杖、徒、流之用贖也，則苟且之弊也，墨吏之緣以濟貪，不可不分別禁之也。笞杖無的決，而濫用訊杖，以殺無辜，墨吏之緣以飾怒而逞威，不可不抑而遏之也。今欲善徒、流、笞、杖之法，莫如申的決之法，而除無名之訊杖，則惡可以懲，而民生不殄矣。上古樸略之法，存而不論焉可矣。爲君子者，勿但務爲空言，以啓後世凶人之實禍。尚慎之哉！

訊杖者，始以訊也。淫刑者，非訊而用之以撻，刀鋸之外有殺人之具焉。令甲不載，而恣有司之（墨）〔暴〕怒，以虐辟道失避、輸將不敏、祗候失當之疲民，血肉狼籍於杖下而靡所控，既已慘矣。且益之以夾拶箍楔之毒劉，刑具日繁，而民死益衆。有不忍人之心者，損之不及，而復欲益之以刀鋸乎？言之所興，事之所成；心之所操，天之所鑒；故曰不可不慎也。

大禹謨一

凡爲言而思以易天下者，皆以心爲宗。從其末而起用者，治心也；從其本而立體者，見心也。見非所見，則治非所治矣。舜之言曰：「人心惟危，道心惟微」，斯以示見心之則，而非凡爲言者之及也。何也？天下之言心者，則人心而已矣。

人心者，人固有之。固有之，而人以爲心，斯不得別之以非人，斯不得別之以非心也。就其精而察之，乃知其別；就其粗而言之，則無別；而概目之曰心。故天下之言心者，皆以人心爲之宗。心，統性情者也。此人心者，旣非非心，則非非性。故天下之言性者，亦人心爲之宗。

告子湍水之喻，其所謂性，人心之謂也。瀠洄而不定者，其靜之危與！決而流〔者〕，其動之危與！湍而待決，決而流不可挽，初非有東西之成形；靜而待動，動而堯、桀之皆便。惟其無善無惡之足給，可堯可桀，而近桀者恆多；譬諸國然，可存可亡，而亡者恆多，斯以謂之危也。

浮屠之言曰：「卽心卽佛；」又曰：「非心非佛；」又曰：「一切衆生皆有佛性；」又曰：「三界惟心；」亦人心之謂已。何以明其然也？彼所謂心，則覺了能知之心；彼所謂性，則作用之性也。以了以知，以作以用，昭昭靈靈於行住坐臥之間，覺了不誣者，作用以起。自非然者，亦不得謂之心。惟其然而可謂之心，惟其然故亦僅謂之人心矣。

以了以知，以作以用，善者恆於斯，惡者恆於斯，彼之所謂識也。了無不覺，知無不能，作不固作，用非固用；任了任知，任作任用，總持而無有自性，終不任善而任惡者，彼之所謂智也。善於斯，惡於斯，瞥然一興而不可止，用之危也。不任善，不任惡，洞然寂然，若有若無，一切皆如，而萬法非侶者，體之危也。其曰「父母未生前」者，此也；其曰「無位眞人」者，此也；其曰「離鉤三寸」者，此也。而探其大宗，則一言蔽之曰「無」。

儒之駁者亦曰：「無善無惡心之體」，要亦此而已矣。有者不更有，而無者可以有；有者適於無，而無者適於有；有者有其固有而無其固無，無者方無若有而方有若無；無善則可以善，無惡則可以惡；適於善而善不可保，適於惡而惡非其難矣。若無，而俄頃之縛釋；若有，而充塞之妄興；岌岌乎有不終朝之勢矣。故曰危也。

若夫有不更有而適於無，固有此而本無彼者，彼惛不知，殆盲者之於日，極意而得盤與籥耳。所以然者，人心無相續之因，則固可使暫澄者也。自好之士，厭飫於惡而思返，矯敝於已末，分析人心之動機，嗒然喪據，因剗滅以觀其靜；則人心之下游，壅閉渟洄，如隔日瘧之有閒也。斯其時，非無清朗虛涵之光影，如蕉空中，如水映月，迷留玩悅，因以爲妙道之攸歸，終身處堂，以嬉於人心之中，而信濱危之可保。是猶秦兵南向，而田建墮防，（拖雷）〔忽必烈〕北返，而似道奏功；其固本保邦之術，近取之國中者，覿面而自失之，以故恆性泯，彝倫絕，陷於禽獸而不自知。則共城松柏之歌，皋亭潮水之恨，終與桀、紂均亡，斯亦可哀也已？

嗚呼！大舜咨嗟以相戒，告子、釋氏寶重以爲宗，象山、姚江畔援以爲儒，王畿、李贄竊附以爲邪。

其聖也如登，其狂也如崩，大概亦可覩矣。

夫舜之所謂「道心」者：適丁歷切。於一而不更有者也，一即善也。「惟精惟一」，僅執其固然而非能適譬隻切。於有，弗精弗一，或蔽其本有而可適於無者也；未發人心。有其中，道心。已發人心。有其和，道心。有其固有；而未發無不中，猶人無翼。已發無不和，如人不飛。無其所無者也。固有焉，故非即人心而即道心；下廣釋之。僅有其有，而或適於無，故曰微也。

奚以明其然也？心，統性情者也。但言心而皆統性情，則人心亦統性，道心亦統情矣。人心統性，氣質之性其都，而天命之性其原矣。原於天命，故危而不亡；都於氣質，故危而不安。道心統性，天命之性其顯，而氣質之性其藏矣。顯於天命，繼之者善，惟聰明聖知達天德者知之。藏於氣質，成之者性也，舍則失之者，弗思耳矣。無思而失，達天德而始知，介然僅覺之小人，告子、釋氏。去其幾希之庶民，所不得而見也。故曰微也。人心括於情，而情未有非其性者，故曰人心統性。道心藏於性，性亦必有其情也，故曰道心統情。性不可聞，而情可驗也。

今夫情，則迥有人心道心之別也。喜、怒、哀、樂，兼未發。人心也。惻隱、羞惡、恭敬、是非，兼擴充。道心也。斯二者，互藏其宅而交發其用。雖然，則不可不謂之有別已。

於惻隱而有其喜，於惻隱而有其怒，於惻隱而有其哀，於惻隱而有其樂，羞惡、恭敬、是非之交有四情也。於喜而有其惻隱，於喜而有其羞惡，於喜而有其恭敬，於喜而有其是非，怒、哀、樂之交有四端也。故曰互藏其宅。以惻隱而行其喜，以喜而行其惻隱，羞惡、恭敬、是非，怒、哀、樂之交待以行也。

故曰交發其用。

惟仁斯有惻隱，惻隱則仁之有也。惟義斯有羞惡，羞惡則義之有也。惟禮斯有恭敬，恭敬則禮之有也。惟智斯有是非，是非則智之有也。若夫不仁不智，無禮無義，非惻隱、羞惡、恭敬、是非之有也。故斯心也，則惟有善而不更有不善；有其善而非若無，無其不善而非若有；求則得之，而但因固有；舍則失之，而遂疑其無。道心之下統情者且然，而其上統夫性者，從可知矣。

豈若夫喜、怒、哀、樂之心：仁而喜，不仁而喜，下而有避彈之笑；仁而怒，不仁而怒，下而有誶母之忿；仁而哀，不仁而哀，下而有分香之悲；仁而樂，不仁而樂，下而有牛飲之歡；當其動，發不及持，而有垂堂奔馬之勢；當其靜，如浮雲之散，無有質也。

於己取之，於獨省之，斯二者藏互宅而各有其宅，用交發而各派以發。灼然知我之所有：不但此動之了喜了怒、知哀知樂應感之心，靜之無喜無怒、無哀無樂空洞之心；而仁、義、禮、智之始顯而繼藏者，立本於宥密，以合於天命之流行，而物與以无妄。則動之可東可西，靜之疑無疑有者，自成性以還，幾且交物而爲心之下游，審矣。

夫於其目，則喜、怒、哀、樂之情，四也。於其綱，則了、知、作、用之靈，一也。動其用，則了、知、作、用之瞥然有矣。靜其體，則鏡花水月、龜毛兔角之渙然無矣。剗目而存綱，據體而蔑用，奚可哉？故爲釋氏之言者，終其身於人心以自牿也。

夫道心者：於情則異彼也，故危微之勢分；於性則異彼也，故執中之體建。藏於彼之宅，而彼皆我之宅；則人心之動，初不能有東西之宅；人心之靜，初不能有無位離鉤之宅。發賫彼之用，而彼因有其用；因有其用，而彼遂自用；則人心之目，溢於萬變，人心之網，無有適丁歷切。一；要以藏者無實，而顯者無恆也。是故著其微以統危而危者安，治其危以察微而微者終隱。告、釋之垂死而不知有道心者，職斯辨爾。

且夫人之有人心者，何也？成之者性，成於一動一靜者也。老以爲槖籥，釋以爲漚合。一動一靜，則必有同、異、攻、取之機。動同動而異靜，靜同靜而異動，同斯取，異斯攻。同、異、攻、取，而喜、怒、哀、樂生矣。同則喜，異則怒，攻則哀，取則樂。一動一靜者，交相感者也，故喜、怒、哀、樂者，當夫感而有；亦交相息者也，當喜則怒息，當哀則樂息矣。交相息，則可以寂矣，故喜、怒、哀、樂者，當夫寂而無。小人惑於感，故羅其危；異端樂其寂，故怙其虛。待一動一靜以生，而其息也則無有焉。斯其寂也，無有「自性」；而其感也，一念「緣起無生」。以此爲心而將見之，剖析纖塵，破相以觀性，至於「緣起無生」，則自謂已精矣。孰知夫：其感也，所以爲仁義禮智之宅，而無可久安之宅；其寂也，無自成之性，而仁義禮智自孤存焉。則斯心也，固非性之德，心之定體，明矣。故用則有，而不用則無也。

若夫人之有道心也，則「繼之者善」，繼於一陰一陽者也。動靜猶用，陰陽猶財。一陰一陽，則實有柔、剛、健、順之質。二實，實此者。五殊，殊受其實以成質。木柔、金剛、火健、水順。柔、健、剛、順，斯以爲仁、義、禮、智者也。惻隱柔之端，羞惡剛之端，恭敬健之端，是非順之端。當其感，用以行而體隱；當其寂，體固立而用隱。用者用其體，故用之行，體隱而實有體。體者體可用，故體之立，用隱而實有用。顯諸仁，顯者著而仁微；

藏諸用，用者著而藏微。微雖微，而終古如斯，非暫然乘機之有，一念緣起之無。故曰始顯繼藏，天命流行，物與无妄也。

且夫一動一靜，而喜、怒、哀、樂生焉。動靜，無恆者也。一動則必一靜矣，一靜則必一動矣。一動則動必不一矣，一靜則靜必不一矣。乘其機而擇執之，是破屋禦寇之說也。若守其不動不靜之虛靈以爲中，是壅水使湍，而終聽決也。惟夫得主以制其命，則任動任靜，而保其不危。故人心者，君子所不放，而抑所不操。

若夫陰陽者，三才所取資，五性所待用，疑非微矣，而不然也。陰陽爲已富矣，而一陰一陽之權衡，不爽於銖絫者，微也；一陰一陽之妙合無間，而不相爲同、異、攻、取者，微也。是故惻隱、羞惡、恭敬、是非，並有於心，區畛不差，而容函協一。有能審其權衡而見其妙合者，其惟見天心而服膺弗失者乎！於末索本者，芒然於此，宜其執一非一，而精者皆粗也。

以約言之：陰變陽合，乘機而爲動靜；所動所靜，要以動靜夫陰陽。故人心待役於陰陽，而堪爲聽命。乃有機可利，悍發者忞違其主；機發必息，遁虛者圖度其安。則惟成器之餘，虛以召感，亦以召寂，泮渙渟洄者，因機爲用，而失其職也。故曰「動靜無端」，言其無本，而乘乎機也。暫然而凝於器，如水之忽冰；暫然而發於情，如水之忽(流)〔波〕；(彼)日霽風止，而自性毀矣。故曰「陰陽無始」，言其固有，而非待緣以起也。

木不待人斲，而曲直也固然；火不待人煬，而炎上也固然；金不待人冶，而從革也固然；水不待人導，而潤下也固然。不待孺子之入井，而慈以愍者固存；不待爾汝之相加，而嚴以正者固存；不待擯介之交接，而肅以雍者固存；不待善惡之雜進，而晰以辨者固存。物止感息而已有據，見於天壤間而物有徵，各正性命，其有或妄者哉！則以知道心之與人心，如是其差以別矣。

然則判然其爲二乎？而又非也。我固曰互藏其宅，交發其用。陰陽變合而有動靜。動靜者，動靜夫陰陽也。故人心者，陰陽翕闢之不容已；道心者，動靜之實，成材建位之富有，和順而爲光暉之自發也。

釋氏立一無位之心以治心，固妄矣。朱子謂之一，勉齋黃氏謂非有兩者，亦非等威廉隅之不立也。夫苟等威廉隅之不立，則擇之也不精。如其可別立一心以治心，則其爲心也，非但非道，而且非人矣。是故以鐙喻之：前燄非後燄，則前心非後心，而心以時遷。以芭蕉喻之：無中而非邊，則攟摭攢聚以爲心，而心無定藏。乃不知燄速代而明有常，中雖虛而生氣所由升也。

且夫鐙之喻，固人心不自保之危；蕉之喻，亦人心無適主之危。觀化無窮，而止得其危幾焉。曾是以爲見心，不亦愚乎！夫不見鐙之明者其神禮，蕉之榮者其神仁邪？莊生天籟之說，楞伽和技之指，風已拍歇，而謂如土竅之頑然，傀儡之枵然，則惟死爲然爾。

敦化不息，而屈伸一誠。然則死者人心之息，而非道心之終與！人心乘動靜以爲生死，道心貞陰陽以爲儀象。乾坤毀而無易，陰陽五性泯而無道，抑且無人。動靜伏而偶無人，有此一日矣。陰陽匱而永無道，無此一日也。天下必無此一日，其以此爲心，其以此爲宗也哉？

嗚呼！道不虛行，存乎其人。倘口乃窮，於己取之而已。告、釋之所知，予既已知之矣。爲陸、王之學者，亦其反求而勿徒以言與！

大禹謨二

子曰：「爲仁由己。」志於爲仁者，必由己也。迨乎仁之熟而聖焉，尤惻惻乎其惟恐不由己也。故舜之戒禹曰：「無稽之言勿聽，弗詢之謀勿庸。」弗詢者，我未詢彼而自獻謀也。聖功之純，帝道之盛，惻惻乎惟此之恐。嗚呼！可不慎哉！

所謂己者，則視、聽、言、動是已。是四者，均己所以保固其仁之體，發揮其仁之用者也。雖然，有辨。

言動者，己之加人者也，而緣視聽以爲之，則無有未嘗見之、未嘗聞之而以言以動者也。習於所聞，驗以所見，而信以心之所然，則其言固有物，行固有恆。仁者之於此，裕如矣。言惟己言也，動惟己動也，操之也約，持之也有據，則精焉、一焉，而天理無有不得者矣。

惟視與聽，己與物相緣者也。則方由己而人爭熒之，欲由己而人之先入者窒之，是爲仁者所尤難者也。故孟子於己之中，慎所擇焉，小耳目而大心，物人物而抑物耳目。耳目而亦物矣，交而引，引而蔽，耳目具於身中，而判然與心而相背。則任耳目者，皆由人者也。由己者所不以爲己也。

雖然，尤有辨。耳目均吾身，擯而外之謂之物而不任爲己者，惟其受物之交爾。乃目之交也，己欲交而後交，則已固有權矣。有物於此，過乎吾前，而或見焉，或不見焉。其不見者，非物不來也，已不往也。遙而望之得其象，進而矚之得其質，凝而睇之然後得其真，密而睩之然後得其情。勞吾往者不一，皆心先注於目，而後目往交於彼。不然，則錦綺之炫煌，施嬙之冶麗，亦物自物而己自己，未嘗不待吾審而遽入吾中者也。故視者，由己由人之相半者也。

而惟聽爲不然。目之體實，實則可鑒而不可茹。耳之體虛，虛則無可鑒而無不茹也。故盡人之身，五官百骸皆與天下相感應，亦各有自體，以辨治乎天下。惟耳則自體不立，一任聲響之疾入，以徹於心。是耳者，天下之牖戶，質雖在己，而用全在物。由之者，由人而已矣，奚由己哉！窅然未有覺也，芒然未有主也，寘然惟物之入而莫禁也，枵然恃聲之入以爲實也。其聽命於心也，似有重閫而不易審；其受命於人也，好言、莠言，雜沓駢闐以至，而皆不能拒。故君子不以爲己，而斥以爲兩間之一物，誠虢虢乎其懼之也。

擇之精、執之一者，心目爲政而耳無權。欲與擇、欲與執，俟之既聽之餘，而方聽無可施功。然而其感物也速矣，其容物也奢矣，其應物也逸矣。於是浮屠氏爲「斷身見」、「除我相」之邪說，亟推其圓通。

嗚呼！天下之物殊其狀，人之爲言異其說，美者自美，惡者自惡，貞者自貞，邪者自邪，誠者自誠，妄者自妄，安者自安，危者自危；有稽可稽，有詢可詢，目施其明，了然粲然，黑白不相互，小大不相假，有無不相襲，無不灼然其易辨也。而以是爲非，以非爲是者，奚從入以攪我心哉？耳而已矣。

初受之也，但無擇也。無能擇矣，已而遂以巧而婉者爲精，而自謂擇也。其初受也，猶不執也。然無可執矣，已而遂以其辨而堅者爲一，而遂執之也。故「無稽之言」，「弗詢之謀」，喋喋日進於前，將有不期聽而聽，不期庸而庸者。受其惑而爲盛德之玷，雖舜、禹亦惡容不畏之如鼂蠆，防之如寇讎也哉？視奚眩邪？疑以所聞，而玄黃無定色矣。言奚狂邪？雜以所聞，而可否無定論矣。動奚妄邪？搖於所聞，而作輟無固心矣。故舜之聰達矣，取善無遺矣，與善不吝矣；而歷乎昌言靜言之變，迨耄期而猶懲之，曰：「吾甚畏乎言與謀之迭進而亟聽以庸也」，將有由人而不由己者矣。子語顏淵以爲邦，治已定，禮已明，樂已備，岌岌乎鄭聲佞人之必戒，亦此意也。

故爲仁者，克治之功，莫先於聽；懼其圓之刓方，通之無能別之。規圓者必滯，求通者必鑿，有甚信者必有甚疑，有甚察者必有甚忽，盛德之終，戒猶在是，志於仁者，可不慎其始哉！不慎則亡國敗家，陷於大惡而不知，非但築室之無成已也。

皋陶謨

傳曰：「國將興，聽於人；國將亡，聽於神。」是故正九黎之罪，以絕地天之通，慎所聽也。後儒之駮者，援天以治人，而褻天之「明威」，以亂民之「聰明」，亦異乎帝王之大法矣。

夫「惇典」「庸禮」，「命德」「討罪」，率其自然，合於陰陽之軌，撫於五辰之治，則固天也。雖然，天已授之人矣，則陰陽不任爲法，而五行不任爲師也。

何以明其然也？天之化裁人，終古而不測其妙；人之裁成天，終古而不代其工。天降之衷，人修之道：在天有陰陽，在人有仁義；在天有五辰，在人有五官；形異質離，不可強而合焉。所謂肖子者，安能父步亦步，父趨亦趨哉？父與子異形離質，而所繼者惟志。天與人異形離質，而所繼者惟道也。天之聰明則無極矣，天之明威則無常矣。從其無極而步趨之，是夸父之逐日，徒勞而速斃也。從其無常而步趨之，是刻舷之求劍，惛不知其已移也。

今夫日沒月晦，天之行度不愆，人則必以旦晝爲明矣。跖壽、顏夭，天之彰癉不妄，人則必以刑賞爲威矣。犬馬夜視，鵂鶹晝闇，龍聽以角，螘語以鬚，聰明無方，感者異而受者殊矣。人死於水，魚死於陸，巴菽洞下而肥鼠，金屑割腸而飽貘，西極之鳥樂於刮脂，魯門之禽悲於奏雅，歆者異而利者殊矣。故人之所知，人之天也；物之所知，物之天也。若夫天之爲天者，肆應無極，隨時無常，人以爲人之天，物以爲物之天，統人物之合以敦化，各正性命而不可齊也。

由此言之，賢智有賢智之天，愚不肖有愚不肖之天，惡得以賢智之天，強愚不肖而天之也哉？均乎人之天者，通賢智愚不肖而一。聖人重用夫愚不肖，不獨爲賢智之天者，愚不肖限於不可使知，聖人固不自矜其賢智矣。是故春溫夏暑，秋涼冬寒，晝作夜息，賞榮刑辱，父親君尊，衆著而共由者，均乎人之天也，賢智之不易盡，愚不肖之必欲喻者也。敎以之興，政以之立矣。

八卦四象之秩敍，太極兩儀之渾合，分至氣朔之推移，盈虛朒朓之消長，二氣之窮變而通久，五辰之順逆而衰王，智者測之，愚所不察，賢者謹之，不肖所弗憂。故作曆以授時，占星以興事，藏冰以調淒陰，內火以消亢陽，引伸其「聰明」，以麗民事，奉若其「明威」，以正民志；而興教立政，自盡人之顯道，終不規規以求肖焉。非然，且假於天以炫其「聰明」，而尸其「明威」，智測力持，取必不可知之象數，以穿鑿易其方員，使駱、粵貿其裘葛也，奚可哉！

故聖人所用之天，民之天也；不專於己之天，以統同也；不濫於物之天，以別嫌也；不僭於天之天，以安土也。吾弟則愛，秦人之弟則不愛，民之典也。若（夫）〔於〕天，則昆弟亦異形，秦、越亦同類矣。擎拳爲敬，箕踞爲傲，民之禮也。若於天，則寒慄非敎以恭，暑析非導以嫚矣。五服昭采，民之所欲而以命也。若於天，則采雲不偏覆堯都，黃霧不獨冒跖里矣。五刑傷肌，民之所畏而以討也。若於天，則蹣跚者非以其盜，不男者非以其淫矣。是故春夏溫，秋冬肅，民以爲發斂，非款凍靡草之發斂；冬至（昏壁）〔在斗〕，夏至（昏亢）〔在井〕，民以爲（晨夕）〔辰次〕，非極（東）〔南〕極（西）〔北〕之（晨夕）〔辰次〕。乃欲舍赫赫明明，昭垂於民者，而用其測度比擬之術智，不亦陋乎！陋以事天，天之所不佑矣。

是故呂不韋之月令，劉子政父子之五行傳，其殆於九黎之「通地天」者與！不若於民，舉天以彈壓之；臆測乎天，誣民以模倣之，月令、五行傳之天，非民之天也。非民之天，則固非皋陶代工，武王勿貳之天矣。春秋之記災異，示人以畏天也。呂、劉之言象數，矯天以制人也。父喜而喜，父怒而怒，孝子之事也。父步亦步，父趨亦趨，趙括之以敗國亡家也。況乎呂、劉之步趨，一邯鄲之蹁躚，非采齊、肆夏之節度也乎？

春秋謹天人之際，洪範敍協居之倫，皆「聰明」自民，「明威」自民之謂也。漭漭乎以窮其所極，斤斤乎以執之爲常，天固未嘗欲人之如此也。人且不知天之又何似也，而以己之意見，號之曰天，以期人之尊信，求天之佑也，難矣哉！

益稷

性命之貞，未易合也；天下之賾，未易治也。抑惟其所以用心者而已矣。

性命之理顯於事，理外無事也。天下之務因乎物，物有其理矣。循理而因應乎事物，則內聖外王之道盡。苟循乎理，以無心應之而已足，天下之言道，有出乎此者，而實非然也。理則事與物矣。循其序，定其志，遠其危，疑非見聞步趨之可順乎天則也。循夫理者，心也。故曰惟其所以用心者而已。

古之聖人治心之法，不倚於一事而爲萬事之樞，不逐於一物而爲萬物之宰，虛擬一大共之樞機，而詳其委曲之妙用，曰：「安汝止，惟幾惟康。」何安乎？何幾乎？何康乎？事無定名，物無定象，理無定在，而其張弛開合於一心者如是也，則百王之指歸，千聖之權衡也。

心之用，患其不一也。一之用，又患其執也。執以一，不如其弗一矣。用一而執之，不如其弗用矣。流俗之迷而忘返，異端之詖而賊道，無他，順心之所便，專之而據爲一也。

弱而固者曰：「吾以圖安也」；慧而儇者曰：「吾以審幾也」；傲而妄者曰：「吾以從康也」。夫心之靈，足以盡性而應天下者，豈其然哉！博取之天地之數、萬物之情、逆順之勢、是非之準、治亂吉凶之由，求其協於大中者，抑豈其然哉！

且夫於止而安，亦必有當所止者也；往而審幾，亦必有見於幾也。據所當以爲止，豈其幾之或息乎？弱而固者曰：「吾安吾止而遑恤焉！」惟其然，而固不安也。天下未有滯於一隅之當，而可使心之無震動者也。

有見於幾而數迎其幾，豈遂不可康也乎？慧而儇者曰：「利用吾幾，以應天下之幾，固無取於康也。」惟其然，而固不能康也。天下未有以變宅心而可應天下之變者也。

夫心之所以不知所止而危殆者，無他，意欲亂之耳。安止者奉道以爲棲泊，而意不流於僻，欲不得而間焉。而猶懼其墜以自僨者失此心察微盡變之大用也。夫心者得天圜運不息之靈，以爲流行之體。而困於自信之區宇，其可以安乎？惟夫至靜之中，意不妄，欲不棼，而於理則經之、緯之，曲折以迎其方生之緒，故端凝以處，而聰明內照，固無須臾之滯矣。故亟告安止者以惟幾，所以盡心之生理也。

乃既研心以盡慮，而無或怙所安以自困，又懼其心之疲役而數遷也。乃其所以不康者，心之爲靈也善動，如止水之微撼而波不息也。則惟見智之足恃，巧之足樂，任其所往，愈入而愈曲，則機智興焉，而理不足以爲之畛域。若夫善審幾者，以心察幾，而不以幾生其心。故極心之用，可以大至無垠，小至無間，式於不聞，入於不諫；而其爲幾也，盡心之用，不盡物以役心也。故肸蠁如聞，寂光如燭，而不爲智引，不爲巧遷。夫然，而「大明終始」者，六位各奠其居矣。至此，而後心之爲用也，無不盡矣。

無不盡者，不盡於所盡，而方靜方動，方動方靜，以一念函三變，以不相悖害也。無不盡，而性命之貞盡矣。於是而天下之賾於此焉應之，無不順以正矣。

何也？「一動一靜者，天地之間也。」陰陽之有成象，萬物之有成形，是非之有成理，吉凶之有成數，皆止而不遷者也，動之必靜者也，雖欲不安而不能。而紛擾膠葛，以利害動其心者，恆罔於其一定之軌則，而憧憧於往來。乘大正者，以御陰陽，以裁萬物，以斷是非，以貞吉凶，非自安而忘物也。本無不安，靜以應靜，而安如其安也。

然而天下則已幾矣，一靜之必一動者然也。陰陽之變無畛也；洩於極盛之中，而後著於已衰之後。萬物之用無常也：成其各正之性，而自有其相感之情。是非之際甚微也：君子有不可恃之仁，而小人亦有未亡之彝。吉凶之至不測也：成乎吉者，置其已得而迎其未來；貞於凶者，小信且窮，而微權當審。故方其靜見爲靜，而動者固然矣。乃即其動，而靜者初未離也。無不可安者，惟其幾也。故曰：「知幾其神乎！」介於石也。

然而陰陽之變，皆可承也；萬物之用，皆可任也；是非之數移，無往而不有是也；吉凶之遞進，無處而不可吉也；一動一靜，而天下之理畢也。則知幾者知之而已矣，善之而已矣。窮神知化，通志達情，而心恆持其衡，又豈有不康者乎？

嗚呼！至於康而耳且順矣，從欲而可不踰矩矣，帝之道、聖之功至此而極矣。子曰：「爲之難」，難此者也。一念以安止，即一念以惟幾，而又必其康也。心有兩端之用，而必合於一致。天下有三絫之情形，而各適如其分以應之。聖人之用心，至於義精仁熟，而密用其張弛開合之權，以應天地動靜之幾，無須臾而不操之以盡其用。蓋用心者，聖人以之終身，以之終食，而不曰理已現前，吾循之而無不得也。此大禹之心傳，爲千聖之統宗，至矣哉！

尚書引義卷二

禹貢

立人之道曰義，生人之用曰利。出義入利，人道不立；出利入害，人用不生。智者知此者也，智如禹而亦知此者也。嗚呼！利義之際，其爲别也大；利害之際，其相因也微。夫孰知義之必利，而利之非可以利者乎！夫孰知利之必害，而害之不足以害者乎！誠知之也，而可不謂大智乎？

由義之潤下有水之用，由義之炎上有火之用，由義之曲直有木之用，由義之從革有金之用，由義之稼穡有土之用。潤下而溢有水之害，炎上而烈有火之害，曲直而蕪有木之害，從革而傷有金之害，稼穡而莠有土之害。由此言之，出乎義入乎害，而兩者之外無有利也。易曰：「利物和義」，義足以用，則利足以和。和也者合也，言離義而不得有利也。天之所以厚人之生、正人之德者，統於五行而顯焉。逆天之常，乘天之過，偷天之利，逢天之害，小人之數數於利也，則未有不爲凶危之都者矣。

箕子曰：「天乃錫禹洪範九疇，彝倫攸敍。」義之所自著，害之所必遠，始於五行昭其義，終於六極示其害。禹以是而治九年之水，故曰「智莫有大焉」也，務義以遠害而已矣。

天之生水也，非以爲利也，其義之潤下者不容已也。義之潤可以澤物，義之下可以運物，於是乎細人見以爲利而邀之。見爲利則不見爲害，而惡知其潤下之過、適以爲害也哉？制害者莫大乎義，而罹害者莫凶於利。於義不精而乘之，於害不審而攖之，於是乎愛尺寸之土，以與水爭命於(行)〔汙〕下；狎滔天之勢，以與水朋虐於中原。伯鯀之斁彝倫也，大抵以利焉階之也。

乃若禹之治水也，正性定命，循義所安而不貪其利，捐利與水而不受其餌；分而灑之，匯而居之，河播爲九，江分爲三；地有所不惜，熯有所不憂，草木之材，投之炎火；兗州之作，遲之十有三年；直方正大之志氣，伏洪水於方剛，而孑然一人之身，率浩浩蕩蕩之狂流以歸壑而莫能抗。義之所自正，害之所自除，無他，遠於利而已矣。

今夫水，五穀、百卉之所滋也，蒲莞、鱗介之所處，舟楫、貨粟之所通也。當其順而利存，當其逆而利亦未嘗亡也。蓋義之本適於用者，雖乖沴忒行而性不易，則利固存焉。害之尤者，利亦或從而大。於是乎以害爲利，以害之尤爲利之大；細人乃顚倒惛瞀，自困於利之中以亟逢其害，斯智者之所大哀也矣。位爲司空，命受於天(亟)〔子〕，居尊席威，敺生民以試其徼幸之智，率族闔邑，駢首漂骸，以塡谿壑而無遺，斯可不謂大哀者乎！

是故有義勝之水，畎澮是已；有害勝之水，瀑湍是已；有義害相半之水，江、漢、淮、洸之類是已；有義一而害十之水，黃河是已。其一義者，以蕃部之水而朝宗於中夏，自此以往，則皆其害焉者矣，天之勞我中夏之民，而警之以蹈義而遠害也。嫁夷狄之橫流，以衝突乎兗、豫、青、冀用文之國，安土者不能逃焉而實受其禍。故治水者明乎害之不易遠，而裁之以義，則庶乎其禍可衰止，外此者無策。

今考歷代治河之得失：禹制以義，漢違其害，宋貪其利，蒙古愈貪焉，而昭代沿之；善敗之準，昭然易見也。制以義，害不期遠而遠矣；違其害，害有所不能違矣；貪其利，則樂生人之禍而幸五行之災也，害之府也。

夫中國之有河，猶其有夷也。三代無禦狄之策而有制狄之義，漢急禦狄之功而不貪用狄之利，唐始用狄，石晉遂用狄，兩宋用狄而其禍乃大，概可覩矣。遠害而害不勝遠，則莫若捐利而不貪。雖有突騎效其死命，知藩籬之不可撤也，而後花門海上之禍絕。雖有長流夾乎腴土，知浸淫之不可啓也，而後齕堤潰野之害消。

愚矣哉！宋之以蜜截舌、以齒焚身而不恤也。兵不足以制契丹，而逆河回流，瀦以爲塘水。財不足以阜用，而乘河之壅，畦以爲淤田。天貽之憂，宋耽之利，暱寇以爲依，幸禍以爲福。彼惛不知，又何怪其借金滅遼以失中原，借元滅金以失江左哉！

夫差之横也，江、淮以通；楊廣之悖也，汴、泗以合。女直、蒙古之亂也，衞、濟以一，南旺以引，仰命於河以爲漕運，支流旁午，交絡四出，徐、兗、豫、冀、維揚五州之域，惟河之意南意北而憑陵焉。然且惟恐安流而失其利，宋禮承之以從欲而邀賞。嗚呼！數百年之間，天以（夷）〔狄〕禍中國，而紓之於水也。浸使有陶唐九年之水，周定王海溢之災，則齊、魯、宋、衞、徐、吳之民，雖有不魚者鮮矣。禹棄可食之壤，割以與河；今貪難制之流，邀以爲利。智愚之分，義利之別；義利之分，利害之別。民之生死，國之禍福，豈有爽哉！豈有爽哉！

當禹之世，賀蘭鹽池之境，未嘗入中國也，故禹功訖此。使唐、虞提封，得如漢之兼朔漠、唐之斥河湟也，我知禹且建萬世無疆之休，絕漠而東，放河流於奉聖川、鴛鴦泊，繞遼山以入鴨綠。則(中國遠)〔夷狄之〕害(而)夷〔狄〕受之，四州之土不待治而適有居也。

使其然也，塘水誰與塞，淤田誰與墾，漕運誰與通？小人之言利者，抑將無術以逞。而哀此羣黎，平居無埽堤之勞，淫雨無昏墊之憂矣。天未悔禍，禹功未展，牟利之鄙夫，乃以闕捷招寇而圮其族。孟子曰：「率獸食人」，此率水而溺人矣。人之食於獸者，百不得一也；死於水者，空城殫野而不厭。然則爲塘水、淤田、漕渠之策者，其害天下與來世，亦憯矣哉！

又其甚者，假水之虐以肆其毒，於是而有灌城之事。水抑自有義焉，不助凶人之惡也。故智伯之於晉陽，蕭梁之於淮堰，宋人之於北漢，壅滔天之流，祇益孤壘之堅。雖韓魏之肘足無謀，而無卹之城，固與北漢而俱安，智氏之軍，且與淮堰而俱漂也。後之人雖甚安忍，其尙鑒於此，勿遏無能害人之水，使害人而適以自害也乎！

甘誓

功罪者，風化之原也。功非但賞之足勸，罪非但刑之足威也。雖其爲不令之人與？然而必避罪之名，以附於功之途。夫人自伸之情，相獎以興，莫知其然而自動，無賢不肖一也。故正名之曰功，而天下趨之；正名之曰罪，而天下違之。帝王尤愼之矣。

世之降也，風日窳，化日靡，民日偷，國日亂；非徒政不綱、教不飭也，功非其功、罪非其罪也。功非其功，未嘗非功；罪非其罪，未嘗非罪；而古帝王之功罪不尙焉，後世且以爲迂遠而不切於治亂。故功罪之名三移，而風化之衰也，三變而益趨於下。

最下，以臣與民之不順於君者爲大罪，而忘其民。其次，以君與吏之不恤其民者爲大罪，而忘其天。君依民以立國，民依天以有生。忘天，則於民不忘，而民暗受其戕賊矣。忘民，則於君不忘，而君必受其栽害矣。

古帝王之亟賞以爲功，亟誅以爲罪者，惟天爲重。故堯知鯀之方命，無君也；其圮族，無民也；而姑試以五行之政。夏后之征有扈也，不斥其叛天子、虐下民，而鳴鐘擊鼓以聲其罪曰：「威侮五行，怠棄三正。」得罪於天者，雖無虐於民，無犯於上，而天討勿赦，如此其嚴也！

後世之法，目爲大罪而不赦者，曰「罔上」，曰「誤國」。苟有欺隱營私之迹，則雖呴燠其民，民爭懷之，弗可貸也。其次曰「傷民命」，曰「侵民財」。苟無淫刑科斂之愆，則雖獲罪於天，天所弗祐，所弗問也。嗚呼！夫孰知不畏於天，名爲恤民，而民實貽以慼；不恤於民，名爲憂國，而國實受其敗也？

惟古帝王，知國之所自立，民之生所由厚、德所由正也，克謹以事天，而奉天以養民。方命、圮族之辜，視威侮五行、怠棄三正者而可從末減，豈世主具臣之所能知哉？

曷言乎威侮五行也？五行者，天以其化養民，民以其神爲性者也。是故濬川以流惡，改火以養正，拔木以昌民氣，藏金以戢民心，平土以安民志。不使不足也，楛匱以吝於用；尤不使有餘也，淫佚以蕩其情。弗慎其節宣，而俾愚氓之自登自耗也，則其威侮也甚矣。苟威侮之，而五行之害氣、以斲人之養而鑠人之性也，不可勝道矣。

曷言乎怠棄三正也？三正者，天所示人以氣至而主其臧者也。是故以天統事天而迎其陽，以地統事地而敦其質，以人統治人而興其用。占星以修祀，知神之格，以精之至也。候氣以吹律，知和之至，以風之應也。序辰以課耕斂，知生成以時而協也。順節以詰兵刑，知明威以度而行也。弗謹其候，而任情之動，以作以輟也，則其怠棄者多矣。苟怠棄之，而三正之和氣已先人而逝，後人而弗逮也，人罹其災矣。

夫和氣者，氣之伸也；害氣者，氣之屈也。五行之英，在形之未成而有其撰，迨形之已成而含其理。三正之常，往過者退而息機，來續者進而興事。是屈伸之化理，所謂鬼神也。鬼神則體物不遺矣。威侮而怠棄之，是遺之矣。遺之而孤行其意欲，或圮事而不修，或疲民而妄作，曰自我尸之，以使民奉我而我以臨人，復奚忌哉！是則顯與天爭勝而不恤，一言一動，莫非鬼神所應違也。君與吏尚何有於民，臣與民復何有於君乎？故帝王之奉詞以討必誅不赦之罪者，在此而不在彼。世主具臣，何足以知此哉！

且夫後世之功罪，以民事爲殿最，以國計爲忠邪者，救末之術，彼亦有所不容已焉。天之弗畏，五行亂矣，三正忽矣，於是而民竄，而吏慆；水、火、金、木且爲敓攘刑殺之用，祁寒、烈暑且爲殘暴怨恣之尤，民乃孔棘而俗乃益偷。爲君子者，重念其顛隮憔悴之荼毒，則錄救民之功，而嚴殃民之罪，弗暇問天矣。

天之弗恤，而胥怨胥讒，以與上抗；吏因其亂，威脅其下，以誣上而營私；苟利於己，國危而不恤，民之旣離，君孤而莫援。世主之所懟，而亦忠臣之所憤，則衞國者爲功，而負國者爲罪，且弗問民矣。

乃從其本而言之，秉五行、三正之紀者，天也；妙五行、三正之化者，鬼神也。忘乎天而天絕之，忽鬼神而鬼神怨恫之，則五行之害氣昌，三正之和氣斁，人理微而人心迷以不復。天下師師，相奬於功利，千百姓之譽者賢矣，逢人主之欲者忠矣，志偷而不警，智惛而弗擇。浸淫及於後世，不復知有五行、三正屈伸之化理，司生成禍福於體物不遺之中。知有其名者，又徒九黎之邪妄，通地天以亂人紀。則子可不知有父，人可不異於禽，於以敗國亡家，驅民於死地。始以殃民病國之刑書督於其後，不已晚與！

嗚呼！莫威匪天也，莫顯匪鬼神也。天之化隱，而鬼神之妖興。愚者以孤虛、生尅竄三正之顯道；妄者以狐祥、物魅擅五氣之精英。慧者厭棄之，則又謂天壤無鬼神，五行皆形器之粗，三正抑算術之技，恃氣而陵轢焉。古帝王爲萬世憂，亟正其刑，以代天而伐罪。商、周以降，此法不行，無怪乎風化之日積矣。

漢人彷彿其意，以災異免三公，以五德辨禋祀，而拘牽名迹，固非五行、三正之貞也，是以不可以訓。自是而後，風化益以陵夷，佻達之子，沈沒於名利，不知何者之爲天，而彝倫因以泯喪，非九黎則有扈也。安得修帝王之刑賞者，正名定罪以矯之正也！

胤征

陸贄有云：「動人以言，其感已淺。」然而有所感者，則以感人於俄頃之間者也。生而驅之死，逸而驅之勞，分義足以動之乎？畏死憚勞之情，猝然內發者，智不及度，勇不及持。自非英豪之慷慨捐生，與賢哲之從容赴義，則固倒行於窮途，而親上死長之情，不知其何以（忠良）〔忘矣〕。於是而敷心腎肺腸以爲言，振蕩其俄頃之耳目，以生其勃發之智勇，言之所（應）〔感〕雖淺，而固可有功。是故虞、夏以來，無居平之誥誡，而有臨事之約誓焉。

古之帝王，誠知其感之也淺，用之也惟俄頃，故其爲辭也，不過激其氣以使之盈，不畸重其權以使之疑。其感之也若不足，而以感也已足矣。

不激而使之盈者何也？氣盈而怒，怒盈於外者，必枵於中。嘗觀於鬬者矣，詬誶勝而拳勇衰矣。不畸重而使之疑者何也？有所重必有所輕。雖在倉卒，聽以耳，發以氣，而未嘗（及）〔反〕以（忽）〔思〕也。雖乘其俄頃之情，而無長久之義，以使熟思而不斁，則一疑而羣疑交起，疑之、疑之，遲回卻顧而必潰，鈇鉞不足以威之矣。嘗觀於嚴父之訓劣子矣，詞已費而反脣於夫子之不正矣。

以今觀於甘誓、胤征之文，簡而不盈，規其長久而不畸重乎己，斯之謂體要之辭。辭之善者，君子以之動天地，而況於人乎？

禹之明德，夏道之忠敬，天下將百世戴之。不再傳而有扈犯順以抗王師，不五世而羲和叛官以黨后羿，惡之不勝誅者也。然而后啓、胤侯之執言也，則使罪浮於言，而不窮言以浮於罪。夫亦曰彼之滔天以貫盈者，夫人知之而不俟於言也。舉其大端以正有事之名，舍其一切以畜人心之怒，則氣不洩於言，而勇可給於氣。整齊其行陳，要戒其淫戮，矜持其有餘，而急繕其不足，若此者，所謂不過激其氣而使之盈也。

分義者，民之均重也。權藉者，己之畸重也。爲臣而犯其君，爲臣而背公死黨，以弱王室，分義之不赦者也。分義不赦，而何有於五行、三正之精微？分義不赦，而何有於沈酒昏迷之瑣屑？乃分義均重，而民喻其不赦；權藉畸重，則民且疑君之死己以〔自〕安也。俄頃之際所喻者，不敵其喻死喻勞之心，則將曰喪君有君，而喪身無身矣。

惟是三正五行、天戒臣憲者，王爲民修之，侯爲民守之，民用所前而民居之自協者也。今略畸重之權，並略其均重之義，而獨重其權於民，民乃曉然於衆憤之不容已，而牽率君相以屆民之罰。於是而人之視公戰猶其私鬬，非使我以一旦之肝腦易天子玉食之靈長，而不惜致死以爭搗姦宄之胸矣。此所謂不畸重其權以使之疑也。

是故臣干君，則略其無將之義，而執辭以民，以謂天爲民而立君，不勦民以奠君也。甘誓、胤征是已。君殃民，則略其殄師之虐，而聲罪以天，以謂天篤后以匡民，不殘君以遑民也。湯誓是已。

湯誓曰：「予畏上帝，不敢不正」，不曰「予恤民毒，不忍不正」也；曰：「率割夏邑，有衆率怠」，不曰「率割下國，衆致其怒」也。夫乃以堅長久之義，而其權不畸。畸重於上，民以爲厲已；畸重於下，民以爲餌已。民猶壘也，衆疑之府也，君子蓋慎之已。

故於殷、周之際，而知道之降也。武王之誓，言之畸也。列紂之罪，擢髮以數，而氣亦竭矣。「寧執非敵」，惴惴以恐，於是而幾殆矣。列紂之罪，擢髮以數，斮脛剖心之無遺也。八百濟師，血流漂櫓，能保四夫四婦之無橫死於會朝，而可反脣相詰者乎？義士所以有「易暴」之歌，商雒之頑民亦且生「簡迪」之怨。千里之應，捷於桴鼓，君子之言(之)〔以〕動天地，而可不慎乎？周之誓不及殷之誥；春秋之詞命不及豐、雒之誓命。盈虛生乎志氣，輕重定乎權衡，義於此精，道於此立，不可誣也。

戰國說士之辭，悖道而相搖以勢，此意斬矣。又降而爲陳琳、阮瑀之流，如健訟之魁，怒鄰之婦，勃氣憤盈，莠(先)〔言〕自口，尤君子之所羞稱也。下此而齊、梁之季，馳檄相誇，取青妃白，競巧於流血塗肝之地。苟有心者，能勿觸目而酸心乎！

夫古之帝王以善其言者，豈於其言而善之與？忠厚宅心，則氣不盈，而不忍盡物之短；正己無求，則權不畸，而不苟幸事之成。養天下之和平，存千秋之大義，立誠以修辭，辭皆誠也。則(惡)〔感〕之者雖在俄頃，固可以昭告萬世而無慙矣。孔子曰：「我於辭命則未能也」，言不於辭命而求善也。

尚書引義卷三

仲虺之誥

易之言曰：「敬以直內，義以方外。」誥之言曰：「以義制事，以禮制心。」故曰：「先聖、後聖，其揆一也。」

今夫事與人之相接也，不接於吾之耳、目、口、體者，不可謂事也。何也？不接於吾之耳、目、口、體，天下非無事也，而非吾之所得制。非吾之所得制，則六合內外，固有不論不議者矣，則固非吾事矣。

不發而之於視、聽、言、動者，不可謂心也。何也？不發而之於視、聽、言、動，吾亦非無心也，而無所施其制。無所制，則人生以上，固有不思不慮者矣，是尚未得爲心也。

是故於事重用其所以來，於心重用其所以往；於事重用其心之往，於心重用其事之來。往來之界，眞妄之幾，生死之樞，舜、跖之分。古之君子，辨此而已矣。

心之往則必往矣，事之來則必來矣。因其往而放之者，縱也；因其來而交之者，欲也。於其往而固遏之，於其來而固拒之，內與外搆，力爭其流者，「克伐怨欲不行」者也。於其往而遊於虛，於其來而制以機，往而曲以避物之來，來而巧以試心之往，以反爲動，以弱爲用之術也。

古之君子則皆灼然見其非道，而不此之務矣，是故酌自然之衡，持固有之眞，以範圍往來於不過。其往也極其用而不忒，其來也順以受而不逆，夫是之謂「建中」也。嗚呼！非察於幾、達於誠而知心與事之浹洽以利用者，孰能與於此哉！

天地之德，日新富有，流動充盈，隨在而明其義於有形有色、無方無體之中者，至足也。其流動也，洋洋日發而無不及。使不及焉，則此且虧朒而不紹乎彼。洋洋日發者，本無不直也。其充盈也，森然各立而不可過。使可過焉，則此且溢犯乎彼，而彼不足以容。森然各立者，本自有方也。道之在吾身以內與其在天地之間者，旣如此矣。流動者與物酬酢，以順情理，而莫有適居。充盈者隨事有宜，以應時變，而莫能協一。必待行之而後可以適焉，必待凝之而後可以協焉。

夫民受天地之中以生者也。耳、目、口、體，形著於實，受來以虛；視、聽、言、動，幾發於虛，往麗於實。其互相入者，有居中以宰之者也。以凝之者行之，斯以事無不宜，而心無有僭；卓然而有其直，卓然而爲其方，居乎此以治乎彼，故曰制也。夫然，受中以生則無不直而無不方，內之則旣然。乃中建於天下，有定理焉，直之方之所自著也，外之亦旣然矣。

故告子之言曰「義外」，而言禮之駁者亦曰「禮自外作」。夫內之旣卓然有可凝之直方矣，則義、禮之俱非外也亦明矣。我無以辨外義禮者之非也。則以外非無禮義，而不制於我，則非我之義與禮也。螽蟶之君臣，虎狼之父子，相鼠之皮體，燕鴈之配耦，何有於我〔哉〕？

義外之非，夫人而言之，孟子之辨已析也。禮外之云，樂記之枝詞也，而賢者徇焉，乃以云：「事在外，義由內制；心在內，禮由外作。」朱子云。則是於其來而授物以所未有，於其往而增益以心所本無，日以其心與天下搆，而日以天下與心搆，舍自然之則，忘固有之眞，斯何異於老氏所云「反者道之動」哉？

且夫義之必內，如冬知湯而夏知水也。禮之必外，其且判渙於天地之間，自爲一類，如風之不可以目見，空之不可以手握乎？將禮之用孰從而舉之？禮之名亦不足以著於人矣。義之內也，以智而喻；禮之內也，以仁而顯。喪之哀，祭之敬，食之不紾兄臂，色之不摟處子，亦惟以求慊乎心也。必求如此而後慊於心，則心固有之，故曰「復禮」。則亦如秦炙吾炙之胥旨吾舌矣。

若禮之立於吾前以待用者，既似授之規矩，而非木之能自爲方圓，授之羈靮，而非馬之能任驂服，可云外也；則義亦顯立吾前，賢在而授以尊，長在而授以敬，充外禮之說，亦未有不可以義爲外者也。古之君子，智足以喻此：萬物之充盈以來，以形之虛者應之，俾得所歸，而宜以協；仁足以顯此，吾性之流動以〔往〕，〔以〕色之實者奠之，俾安所止，而典以敦。事與心胥制於所建之中，反身而誠不遠矣。蓋天理之流行，身以內、身以外，初無畛域。天下所有，卽吾心之得；吾心所藏，卽天下之誠。合智仁，通內外，豈有殊哉？

彼智不足以及此者，其昏也，因其往而往之，因其來而來之；其鑿也，於往而禁其往，於來而忘其來。仁不足以守此者，其妄也，任其往而之於(敝)〔放〕，任其來而汎爲交；其矯也，苦持其往而不得所麗，過杜其交而不綏以宜。亦惡知往來之幾，形形色色之誠，自有其中焉而建之也哉？執之無權，存之無本，而內不放出以制心，外不放入以制事，斯釋氏「鼠入牛角」之謂，與於不仁之甚者，可弗辨乎？

湯誥

顯性之有而目言之，易謂之「縕」，書謂之「衷」，詩謂之「則」，孟子謂之「塞」，求其實則中庸之所謂「誠」也。故曰：「誠者物之終始。」終與終之，始與始之，終以密合乎始，始以綿亙乎終，相依而不貳，不著其文而已盈，靜與存而皆安，動與行而不滯，官不過而如其量，神周流而恆不失，故曰「衷」也。

夫人之有形，則氣爲之「衷」矣。人之有氣，則性爲之「衷」矣。是故痿躄者，形具而無以用其形，則惟氣之不充；乃形未有毀，是表具而「衷」亡也。然則狂易者，氣具而無以善其氣，則惟性之不存；乃氣未有餒，是亦表具而「衷」亡矣。氣，衷形循形而知其有也。性，衷氣循氣而不易知其有也。「故君子之道鮮矣。」

今夫氣，則足以善、足以惡、足以塞、足以餒矣。足云者，有處於形之中而堪任其用者也。若夫恆而不遷，善而無惡，塞而不餒者，則氣固有待而足焉，而非氣之堪任也。故曰性衷氣也。氣非有形者也，非有形則不可破而入其中。然而莫能破矣，而絪縕摶散者足以相容而相爲載，則不待破以入，而性之有實者，固與之爲無間。

夫性之爲衷於人也，不待破而入，非徒於氣然也，形亦莫不然也。破目之黑白而求明之藏也不可得，破耳之竅音科。曲而求聰之藏也不可得。因實而入實，則亦因虛而入虛；凡有形而皆入焉，亦凡有形而皆衷焉。耳亦衷此也，目亦衷此也，四體百骸而皆衷此也。凡有氣而皆入焉，亦凡有氣而皆衷焉。衷乎形者氣，衷乎氣者乃天之所降之衷，則亦徹乎人之形氣皆爲之衷也。(哉)〔故〕曰：「睟然見於面，盎於背，施於四體。」面、背、四體，形也，氣之表也。以見、以盎、以施，氣也，形之「衷」也。乃其根心而生色者，更有衷氣者存也，君子所性也。

是故人之生也，氣以成形，形以載氣；所交徹乎形氣之中，緜密而充實，所以成、所以載者，有理焉，謂之「存存」。人之死也，魂升於天，魄降於地，性之隱也；未嘗亡而不得存者，與魂升，與魄降，因其屈而以爲鬼神。故鬼神之與人，一也。鬼神之誠，流動充滿，而人之美在中也。其屈也，鬼神不殊於人；而其德惟盛。其存也，人亦不殊於天，而其性以恆。然則此「衷」也，固非但人之「衷」，而亦天之「衷」矣。形而下者人之性，形而上者天之理，故「衷」曰「降」。非其麗乎人而遂離乎天也，天下逮於人人之「衷」，即天之「衷」也。

且夫天之有「衷」，奚以明其然也？今夫天，蒼蒼而已矣，曠曠而已矣。蒼蒼者不詘，曠曠者無極，氣也；而寒暑貞焉，而昭明發焉，而運行建焉，而七政紀焉，而動植生焉，而仁、義、禮、智，不知所自來而生乎人之心，顯乎天下之物則焉。斯固有以入乎氣之中，而爲氣之「衷」者，附氣以行而與之親，襲氣於外而鼓之榮，居氣於中而奠之實者矣。立天之道，曰陰與陽，而一陰一陽劑焉；統天之行，元、亨、利、貞，而四德敍焉；是則天之「衷」也。

形而上衷乎天，形而下衷乎人。由天以之人，因其可成可載而降之人；乃受於天，亦旣主形主氣，而莫不以爲性之藏也，故曰「恆」。是故形則有「恆」也，氣則有「恆」也。然而有不「恆」者，形之有痿躄，性之有狂易，或傷之，或陷之，一人之身而前後殊，斯不「恆」也。形之有利鈍，氣之有衰王，利易而鈍難，王壯而衰餒，均人之身而彼此殊，斯不「恆」也。

其不「恆」者，何也？文著於外，質凝於內；著於外者楞其內，故與衷而相離；滯於內者困於外，故衷不效於用也。衷也者，其外不著，其內不滯，柔與爲柔，剛與爲剛，動而不喪，靜而不遺，無所忤而柔順與親，無所撓而剛健與幹，化不流而居不失，則亦奚有不「恆」之咎哉！「恆」者何也？曰誠也。誠神誠幾，於物胥動；誠通誠復，於己皆眞；斯以屈伸變化，終始弗離，而莫有不「恆」矣。

嗚呼！古之知性者，其惟自見其衷乎！仁、義、禮、智以爲實也，大中、至正以爲則也，闇然而日章以內美也，和順積中而英華發外以充美也，故曰：「乾坤，易之緼邪！」變易者其表之文，健順者其裏之著（直略切。）與！

惟此不察，則且以「玄牝」爲根而其中楞然；則且以督爲經而其動扤然；則且以運動爲性而其守蕩然；則且以眞空爲體而其主冥然；忘其衷之緼，褫其緼之塞，生民之性淪胥以鋪，非直日用不知者之咎也。

太甲一

權，重於經者也。經有未審，縣重以酌其平之謂權也。而或以爲輕於經而行其妙，則誖矣。重於經者，持而乃得其平。輕於經者，反而外移於衡之杪，則權重而物輕。物輕權重，物且昂起而權墜矣，何有於權之用哉？

爲魯莊公責者曰：「母不能制，當制從母之人。」審然，則太甲之「狎於弗順」，不必放桐，而但施刑於弗順之脅人也，其可哉？此有道焉，亦有權焉。制弗順者則畸而之輕，制太甲則持而之重也。

嘗試論之。以本末言，太甲之「欲敗度，縱敗禮」，本也；弗順者之給其欲，導其縱，末也。不持其本而急其末，猶攻毒者之急四支而遺腹心也。一弗順退而一弗順進，一弗順殛而一弗順興，故曰「人不足與適也」。不足者：力之不足，我處外庭而輕；權之不足，彼(在)〔操〕君心而重也。

以情勢言，太甲之情，弗順者之勢也。口之於味，目之於色，耳之於聲，四體之於安佚，夫人之不能廢，而獨謂君上之不宜有此乎？弗順者見制而不逞，則重爲減替以相激，將使安飽之不給，乃宣言曰，是使王監門輿皁之不若也。沖人何知？始相憐，中相悼，終相匿，而睽於元老者益孤矣。良娣刻木以行棋而鄴侯疏，劉瑾伏地以請死而韓文絀，其明驗已。

如其欲顯戮之與，則害尤有重焉者。凡權臣之偪主，恆先削其君之肘腋，故后羿篡而雒表無反鬭之臣，州蒲弒而匠麗先胥童之死。今以靖獻之心，弗擇而蹈其轍，左右相依之媚子，且放一人焉，夕誅一人焉，取之君側而肆之市朝；孱爾沖人，始則姑聽之，繼則涕泣以講之，又繼則甘心羣小以報之矣。彼羣小者，既挾尊主之號以爲彈壓之名，其主亦懷孤立之恐；而已抑終以投鼠忌器之故，不得大快其所欲爲，卿尹百辟其不中立以祈免者鮮也，則身危而國亦隨之矣。

均一非常之舉，則何似昭昭然揭日月而行之，以散宵人之聚也？是故略庸人之好惡，審天理之權衡，伊尹所以任堯、舜之道於躬而直行不惴也。

夫佞倖持權，權移而毒下逮，天下且血背搤腕以爭致其怨惡，而君之失德獎姦，姑寬假而不忍深求，此亦君臣之彝倫所不可泯，而要以爲庸人之好惡。何也？畸其重於佞倖，而不諒其不足以有爲也。

若夫天理之權衡，善有所自植，惡有所自致。君實處隆墀遠壑之勢，而給欲導縱之夫，固卑且賤以順君子之命：或趨善，或趨惡，猶驟雨之乘回風，可使南而可使北。君子豹變則小人革面，固大人君子所矜宥而移易者也。

積不欺之忱，膺毋貳之棐，拔本塞源，以正告天下萬世而無疑；則弗順之子，淵藪已失，而不敢以螢尾爭日月之光，亦震驚湔洗，謹執其唾壺虎子之司矣。故于桐初放，未嘗有流竄匪人之刑；奉冕既迎，終不有易置近臣之事。然而太甲思庸，則已捷於枹鼓，其效爲不爽也。

格君心之非者，經也。放之以格之者，循經而尤重之也。人不足適而急於適人者，末也。適不可適之人而以自詘者，益爭於末，而倒授以重之。昧者不知，嘗試輕杪而利其易制，覆取墜焉，其不可與權也久矣。

乃伊尹之克任大權以正大經者，一介取與之義，咸有一德之貞，志大明而誠豫立。彼魯莊者，固不足以語此也。無哀毀痛父之忱，無枕戈報齊之志，經已拂矣，權不足以持矣。然使取文姜之左右，鉗束而誅戮之，將文姜挾君母以內訩，羣小恃外援以一逞，元翮之於胡嫗，五王之於二張，斯不亦後事之左驗哉？

魯莊公而果可爲人之子也，歃血誓死，與諸兒爭命於原野，上告天王，正文姜在宮之辟，棄位逃祿，幽憂以死於草土，而後車中之怨可雪。是尹處其易，而莊處其難。

然使莊之篤孝如尹之忠也，則姜淫不敢宣，桓勢不孤立。雖以諸兒之禽心，抑不敢談笑而賊人君父，且如雲如水，肆醜行於康莊矣。子母親而感終易，君臣睽而感愈難。尹處新造之邦，莊正適儲之位，則尹固處其難，而莊處其易也。

童昏不知，導淫縱賊，在位具臣，申繻、御孫皆不足爲有無，乃欲制從母之人，以釀肘腋之禍，不亦愚乎！

彼魯莊者固不足道，而說春秋者，以制母從人爲權，豈知權者哉？惟尹而後可與權，惟尹而後可與經也。

太甲二

習與性成者，習成而性與成也。使性而無弗義，則不受不義；不受不義，則習成而性終不成也。使性而有不義，則善與不善，性皆實有之；有善與不善而皆性氣稟之有，不可謂天命之無。氣者天氣，稟者稟於天也。故言性者，戶異其說。今言習與性成，可以得所折中矣。

夫性者生理也，日生則日成也。則夫天命者，豈但初生之頃命之哉？但初生之頃命之，是持一物而予之於一日，俾牢持終身以不失，天且有心以勞勞於給與；而人之受之，一受其成形而無可損益矣。

夫天之生物，其化不息。初生之頃，非無所命也。何以知其有所命？無所命，則仁、義、禮、智無其根也。幼而少，少而壯，壯而老，亦非無所命也。何以知其有所命？不更有所命，則年逝而性亦日忘也。

形化者化醇也，氣化者化生也。二氣之運，五行之實，始以爲胎孕，後以爲長養，取精用物，一受於天產地產之精英，無以異也。形日以養，氣日以滋，理日以成；方生而受之，一日生而一日受之。受之者有所自授，豈非天哉？故天日命於人，而人日受命於天。故曰性者生也，日生而日成之也。

夫所取之精，所用之物者，何也？二氣之運，五行之實也。二氣之運，五行之實，足以爲長養，猶其足以爲胎孕者，何也？皆理之所成也。陰陽之化，運之也微，成之也著。小而滴水粒粟，乍聞忽見之物，不能破而析之以畫陰陽之畛， 斯皆有所翕合焉。陰爲體而不害其有陽，陽爲用而不悖其有陰；斯皆有所分〔則〕〔劑〕焉。川流而不息，均平專一而歆合。二殊五實之妙，翕合分劑於一陰一陽者，舉凡口得之成味，目得之成色，耳得之成聲，心得之成理者皆是也。是人之自幼訖老，無一日而非此以生者也，而可不謂之性哉？

生之初，人未有權也，不能自取而自用也。惟天所授，則皆其純粹以精者矣。天用其化以與人，則固謂之命矣。已生以後，人既有權也，能自取而自用也。自取自用，則因乎習之所貫，爲其情之所歆，於是而純疵莫擇矣。

乃其所取者與所用者，非他取別用，而於二殊五實之外亦無所取用，一稟受於天地之施生，則又可不謂之命哉？天命之謂性，命日受則性日生矣。目日生視，耳日生聽，心日生思，形受以爲器，氣受以爲充，理受以爲德。取之多，用之宏而壯；取之純，用之粹而善；取之駁，用之雜而惡；不知其所自生而生。是以君子自彊不息，日乾夕惕，而擇之、守之，以養性也。於是有生以後，日生之性益善而無有惡焉。

若夫二氣之施不齊，五行之滯於器，不善用之則成乎疵者，人日與媮暱苟合，據之以爲不釋之欲，則與之浸淫披靡，以與性相成，而性亦成乎不義矣。

然則「狎于弗順」之日，太甲之性非其降衷之舊；「克念允德」之時，太甲之性又失其不義之成。惟命之不窮也而靡常，故性屢移而異。抑惟理之本正也而無固有之疵，故善來復而無難。未成可成，已成可革。性也者，豈一受成侀，不受損益也哉？故君子之養性，行所無事，而非聽其自然，斯以擇善必精，執中必固，無敢馳驅而戲渝已。

詩曰：「昊天曰明，及爾出王；昊天曰旦，及爾游衍。」出王、游衍之頃，天日臨之，天日命之，人日受之。命之自天，受之爲性。終身之永，終食之頃，何非受命之時？皆命也，則皆性也。天命之謂性，豈但初生之獨受乎？

形之惡也，倏而贅疣生焉；形之善也，俄而肌膚榮焉；非必初生之有成形也。氣之惡也，倏而疢疾生焉；氣之善也，俄而榮衞暢焉；非必初生之有成氣也。食谿水者癭，數飲酒者齇，風犯藏者喎，瘴入裏者厲。治瘍者肉已潰之創，理瘵者豐已羸之肌。形氣者，亦受於天者也，非人之能自有也；而新故相推，日生不滯如斯矣。然則飲食起居，見聞言動，所以斟酌飽滿於健順五常之正者，奚不日以成性之善；而其鹵莽滅裂，以得二殊五實之駁者，奚不日以成性之惡哉？

周子曰：「誠無爲。」無爲者誠也，誠者無不善也，故孟子以謂性善也。誠者無爲也，無爲而足以成，成於幾也。幾，善惡也，故孔子以謂可移也。

有在人之幾，有在天之幾。成之者性，天之幾也。初生之造，生後之積，俱有之也。取精用物而性與成焉，人之幾也。初生所無，少壯日增也。苟明乎此，則父母未生以前，今日是已；太極未分以前，目前是已。懸一性於初生之頃，爲一成不易之侀，揣之曰：「無善無不善」也，「有善有不善」也，「可以爲善可以爲不善」也，嗚呼！豈不妄與！

咸有一德

言道者胥言一矣。乃從乎形氣而數之，則一者數之始也，以俟夫增加者也。依於道以言之，則一者數之終也，無不統會者也。

且以數而言之：一而小成，十也；其大成，萬也；乃至參差不可紀之至賾；而會歸於一，則莫有踰於一者也。若其可倍而生二，析一而破之也；參而生三，伸一而歧之也。取其破析分歧之餘，而孤持其一，則必至於賊道。

伊尹曰：「咸有一德」，據純德之大全而言也，故曰：「德二三，動罔不凶。」不可生二以與一相抗衡，生三以與一相鼎峙也，明矣。又曰：「德無常師，主善爲師，善無常主，協于克一」，非散殊而有不一也；又曰：「無自廣以狹人」，非（傅）〔博〕取而有不一也。

是故道，非可「汎兮其可左右」也，非「一與一爲二，二與一爲三」，三居二之沖，「沖而用之不盈」也。誠「汎兮其可左右」與？師左則不協於右，師右則不協於左矣。誠「沖而用之不盈」與？將虛中以游於兩端之間，自廣而狹人，天下之德非其德矣。老氏以此壞其一，而與天下相持，故其流爲刑名、爲陰謀爲兵法，凶德之所自生，故曰賊道也。

夫以左右無定者遇道，則此亦一道，彼亦一道。以用而不盈者測道，則方此一道，俄彼一道。於是而有陽闔陰闢之術，於是而有逆取順守之說。故負婦人，嬖宦寺而以霸，焚詩、書，師法吏而以王。心與言違，終與始叛，道有二本，治有二致，仁義亦一端，殘殺亦一端，徜徉因時，立二以伉一，乘虛擇利，游三以亂一，乃囂然曰：「凡吾之二三，皆一之所生也」，而賊道者無所不至矣。老聃之幸不即爲天下禍也，惟其少欲知止，不以天下爲事耳。不然，又豈在商鞅、李斯下哉？

古之君子，雖遇中主，進危言，而不姑導以厖雜之術。全而學之，全而用之，聖足以創，賢足以守，中材猶足以不亡。其惟一以統萬，而不二三以伉一乎！

一以統萬者，達天者也。今夫天，則渾然一而已矣。天居一以統萬，聖合萬而皆一。尹自耕莘以至於割夏，一也，道義以嚴取與也。湯自有國以有天下，一也，義禮以制事心也。夫是之謂達天。有其始卽以之終，有其微卽以之著。立一資始之謂統天，成一允終之謂成物，含一於中之謂盡心，傳一於言之謂窮理。合天下之臣民，舉萬事之綱紀，胥一於善而無不實也，無不純也，故冒天下之道而不可過，貞天下之觀而無所疑。一之用大矣哉！

彼之析一以二，游一於三者，侈數廣而執一狹。狹於執一，侈於生三，而放以之於萬，以自廣而狹天下，則始之局量以小，規模以隘，而不足以資始；終之詖而蔽，蔽而窮，而不足以成終。不知大備之謂一者，其賊道固必至於斯也。

夫惟備斯純，惟純乃大，是故周子仲一而圍之，以爲太極。二殊五實、仁義中正之理，〔莫〕不一也，莫不備也。而曰：「君子修之吉，小人悖之凶。」夫太極旣已範圍天下而不過，則且何所容小人之悖乎？悖云者，舉一所備之二以伉一，舉一所函之三以游一，勢逆而背其宗也。

道一而已矣，一以盡道矣；道非大而一非小，不得曰道生一。一該萬矣，萬爲一矣；二亦萬之二，三亦萬之三，萬乃一之萬，不得曰一生二，二生三，三生萬。由此以積彼，堅彼以敵此，因以有常師，因以有常主，專師多蔽而專主不達，測之妄而執之吝，不能出於一之中，而固已悖也。生於其心，害於其政，嗚呼！可不愼與！

說命上

君子之道，无妄而已矣。天積陽於上，而雷動於下；積者誠也，動者幾也。誠而幾，神矣。積之富有而動之以時，則「大亨以正」。大亨故通乎幽明，正故絕其疑似。通乎幽明，其言也順；絕其疑似，其言也信。順以信，乃以无眚。無疑，則无妄矣。无妄則誠矣。誠則物之終始賅而存矣。

若夫疑者，則必其妄也。疑也者非有也，有則不疑也。疑(之)〔也〕者非無也，無亦何疑也？非有而有，非無而無，非有非無而亦有亦無，則夢是已。

今夫夢，其積非富有，知其不原於誠；其動不以時，知其不足與於幾。不誠不幾，而若有神焉，豈神也哉？故孔子之自言也，曰：「五十而知天命」，誠也；「六十而耳順」，幾也；「七十而從心所欲不踰矩」，神也。神無方，矩有方。神而不踰其方，則神不離乎誠也。无妄之德，積之富有而動之以時，故老不衰而益盛。若其言夢也，則曰：「甚矣吾衰也！久矣吾不復夢見周公！」盛而夢，衰而不復夢；或夢或不夢，而動不以時；血氣衰與之俱衰，而積之也非其富有。然則夢者，生於血氣之有餘，而非原於性情之大足者矣。

故高宗之夢見傅說之形，其不足與於誠也審矣。論者乃致疑於說之來，高宗之往，而曰：「豫知容貌者神，朕兆先見者誠」，豈其然乎？

夫誠者實有者也，前有所始，後有所終也。實有者，天下之公有也，有目所共見，有耳所共聞也。

神者無爲也，形之未形、體之未體者也。則五常百行賅乎誠，蓍龜四體通乎神，誠仁顯而神用藏也。夢說而有成形，用不藏而非神矣。獨見獨聞，而非有所終始，仁不顯而非誠矣。非誠而言神，疑之府也，妄之徒也，君子之所闕而不言者也。

然則夢說之形而旁求惟肖者，抑又何也？形者，血氣之所成也。夢者，血氣之餘靈也。血氣者，一陰一陽之形而下者也。同聲則相應，同氣則相求。形與夢同受成於已形之器，於是乎夢可有形，則居然若有一傅說之立乎前矣。然而無與於形而上者，故能得傅巖惟肖之形，而說所啓沃之忱辭，不能有其言而識諸寤也。蓋器可詭遇，而道不可疑聞也。藉其誠而神焉，則「奉若」之訓，胡不徑相授受於夢中，以成不疾而速之化，乃必待說之拜手以進獻哉？

血氣之靈，有時而清焉，有時而濁焉。恭默不言，高宗能澄其血氣之濁以嚮於清，故其於傅說固有之形，相遇於若有若無之際。然而誠未至焉，幾未通焉，神未顯焉，則得其粗而不得其精。夫人意欲乍澄之頃，乍離乎粗濁，而與兩間固有之成形相爲邂逅，洵有然者。程子所云：「縣鏡於此，有物必照，非鏡往，非物來」，蓋此時矣。

鏡，器也，物亦器也。兩器之體異，而均之爲器，則其用合。鏡不含物，物非鏡生，清則物現，濁則物隱，亦其固然矣。然而鏡終器也，道不生也，故物影現而物理終芒也。

董五經豫知伊川之來者此也，季咸知人之吉凶者此也，釋氏之「他心通」者此也。息紛紛膠膠之妄動而有其孤靜，由孤靜而生孤明。孤明之主，一資於血氣之清，故無形而可有形，影著而與形不爽，然於形上之道終芒然未有與也。蓋以血氣之靈爲見聞之區宇，雖極其清明，而終如鏡之於物，物自物而鏡自鏡也。

鏡平則面正，鏡有凹凸則面邪。得其正則爲高宗之夢傅說，得其邪則爲叔孫豹之夢豎牛，漢文之夢鄧通矣。邪者妄，而正者亦非誠也。故曰：「其匪正有眚」也。

記曰：「淸明在躬，志氣如神。」志氣者，與理爲用，誠之所自立也。如神而道由以生，誠不可揜，幾不可禦；神乃不疾而速，不行而至。堯之得舜，顏之事孔，相孚以心，相鄰以德，奚夢之足云哉！奈之何登彼乍發之隙光，謂之曰誠，謂之曰神也！

君子以无妄茂對天下，在文王之詩矣。「文王在上，於昭于天。」天，誠也；昭，明也。誠有其明，非鏡之資日光以爲明也。「於昭于天」，而天下仰明焉，則神矣。故其詩又曰：「周王壽考，遐不作人。」作人而人興，德其成人，造其小子，誠以求之，則「濟濟多士」，而「文王以寧」矣。故曰：「天降時雨，山川出雲。」天之降雨，惟其時也。雨降而雲滋出，惟其富也。敎育人才，開之先也。其不然者，晴雲拔起於谿谷，雖雨而無終朝之勢，氣蒸妄動，而應不以誠，奚足恃乎？

由此言之，嚮令高宗納羣臣之戒，繹甘盤之敎，敦誠研幾，貞動而大亨，雲行雨施，移風易俗，以德成人，以造小子；將奏言試功，揚于王庭者，非但一傅說而止，何至祀豐于昵，戎憊于克，僅救過而不遑也哉？

治天下有道，正其本以修政敎而已矣。治心有道，盡其性以主血氣而已矣。弋偶現之浮明，晝獨見之區宇，資形器之乍湊，而不求諸道乘變化，以疑爲神而不存以誠，以治則鬼，以氣則易衰，君子之所不尙，如之何以誠神輕許之也！

說命中一

嘗觀之天矣，生生者其資始之至仁大義也；然物受命以生而或害其生，而天無所憂也。不憂惡草之害良苗而予良苗以棘距，不憂鷙獸之搏馴類而護馴類以爪甲；然而惡草鷙獸終不以天弗與防而殄絕生化。故曰：「天地不與聖人同憂」，無所用憂也。

聖人則不能與天同其無憂矣。然而聖人之所憂者，非猶夫人之憂也。人之所憂，憂人也。聖人之所憂，自憂〔之〕〔也〕：有家而不欲其家之毀，有國而不欲其國之亡，有天下而不欲天下之失，黎民其黎民而恐或亂之，子孫其子孫而恐莫保之，情也。情之貞者，聖人亦豈有以異於人哉？然而聖人所憂者，仁不足以懷天下，義不足以綏天下，慮所以失之，求所以保之，「終日乾乾夕惕若」，幾以无咎，〔哉〕〔故〕曰：「憂之如何？如舜而已矣。」過此以往，世之平陂，祚之修短，未之或知也，則亦安用知之哉！知且無容知，而奚足憂邪？

夫欲知過此以往而用其聰明，是謂知其所不知而憂其所不憂。夫苟憂其所不憂，則惟恐天下之不喩其意，而尙口以求伸；惟恐天下之不感其惠，而賜之衣裳以聯其情；惟恐天下之不畏其威，而耀其干戈以爭其勝。且猶恐言之不聽，賞之不勸，誅之不服，而或反戈相擬，則厚其防於甲冑，以使無能傷也。嗚呼！後世之治術以制天下者，舍是而亡術矣。口之屬，則有符命圖讖以侈天命；衣裳之屬，則有覃恩醲賞以繫人心；干戈之屬，則有重法淫刑以刈豪傑。惴惴然尙不自保也，曰：「吾之所可以自護而不患伏莽之戎猝發於意外者，惟甲胄乎！」嗚呼！孰知啓天下之戎心，近以害於身，遠以禍及後世者，莫甲胄之爲甚哉？有七屬之甲則有截犀之刃。示天下以不可攻者，正其示天下以有可攻者在也。

秦畏分爭之戎，罷侯置守以爲甲胄，而以啓戎於隴首。漢畏閭左之戎，厚樹貴戚以爲甲胄，而文、景以啓戎於七國，哀、平以啓戎於五侯。曹魏畏彊宗之戎，削親樹疏以爲甲胄，而以啓戎於宰輔。晉畏外奪之戎，寵任子弟以爲甲胄，而以啓戎於八王。宋畏彊藩之戎，削弱將帥以爲甲胄，而以啓戎於夷狄。右文臣以爲甲胄，防武人之戎，而戎生於外侮；分六卿以爲甲胄，防宰相之戎，而戎生於中涓。甲胄抵實以捍戎，戎投虛以攻其甲胄，蔽左而露右，捍項而忘胸。恃有甲胄之足禦戎也，則暮夜有號而勿恤，白晝殺越而不知。嗚呼！自衞以自賊，生人以殺人，而甲胄之禍烈矣！憂之也無端，防之也已密，戎不自起，起之自我，而尙誰咎乎？

然則空拳裸體以冒白刃，而信虎之不咥人也，其可與？夫固有無形之甲胄，陰陽不能賊而人事不能攖者，人未之曙耳。「乾道變化，各正性命」，天之甲胄也。「直方大，不習，无不利」，地之甲胄也。「自反而縮」，匹夫之甲胄也。「履信思乎順」，王者之甲胄也。故曰：「以忠信爲甲胄，以禮義爲干櫓」，非以爲甲胄而甲胄之用存焉。聖人雖不與天同其無憂，而憲天以涖物凝命者，此而已矣。

雖然，聖人之憲天者，無憂於物也，非無憂於己也。彼異端者，躐等師天，乃欲並此而捐之，曰：「將爲之仁義以正之，則並仁義而竊之，惟絕聖棄智而後大盜可止」，則妄甚也。聖人之銷甲冑也，銷其私與妄者也。彼亦欲銷甲冑也，並其公與誠者而銷之也。我不敢知公與誠之下游無弊也，而欲並銷之者，則亦知其所不可知，憂其本無所憂者也。夫苟知其所不可知，憂其本無可憂，則固藏身自私，而以其銷甲冑者爲甲冑，斯亦嬴政銷兵器，趙普解兵權之陋術而已矣。過此以往之知也，無可奈何而不安之若命也，謂天不仁而不樂之以天也。

夫憲天者，不廢天之常而弛其所必憂，不窺天之變而防其所不可知；簡官慎爵，慮動事事，閉寵革非，釐祀飾禮；進德賢，正綱紀；非僻遠，地天絕；亙古今，訖四維；通幽隱，一彊弱；聖以是憲天，臣以是奉聖，民以是從臣，久安長治之道，盡其所可爲，禦戎之道亦即此而在焉，又何甲冑之足庸，抑何甲冑之必銷也哉？

說命中二

詭於君子之道以淫於異端之教者，其爲言也，恆與其所挾之知見相左而繆爲浮游之說以疑天下。其所挾之知見，則已陷於詖邪而賊道，乃其所言者，雖不深切著明，顯道之藏，立學之準，而固未嘗盡非也。君子之辨之，不誅其心而亟矯其言，則抑正墮其機，而導學者以失據，故知言難也。

宋諸先儒欲折陸、楊「知行合一，知不先，行不後」之說，而曰：「知先行後」，立一劃然之次序，以困學者於知見之中，且將蕩然以失據，則已異於聖人之道矣。說命曰：「知之非艱，行之惟艱」，千聖復起，不易之言也。

夫人，近取之而自喻其甘苦者也。子曰：「仁者先難」，明艱者必先也。先其難，而易者從之易矣。先其易，而難者在後，力弱於中衰，情疑於未艾，氣驕於已得，矜覺悟以遺下學，其不倒行逆施於修塗者鮮矣。知非先，行非後，行有餘力而求知，聖言決矣。而孰與易之乎？

若夫陸子靜、楊慈湖、王伯安之爲言也，吾知之矣。彼非謂知之可後也，其所謂知者非知，而行者非行也。知者非知，然而猶有其知也，亦惝然若有所見也。行者非行，則確乎其非行，而以其所知爲行也。以知爲行，則以不行爲行，而人之倫、物之理，若或見之，不以身心嘗試焉。

浮屠之言曰：「知有是事便休。」彼直以惝然之知爲息肩之地，而顧詭其辭以疑天下，曰：「吾行也，運水搬柴也，行住坐臥也，大用賅乎此矣。」是其銷行以歸知，終始於知，而杜足於履中蹈和之節文，本汲汲於先知以廢行也，而顧詘先知之說以塞君子之口而疑天下。其詭祕也如是，如之何爲其所罔，而曰「知先行後」，以墮其術中乎？

夫知之方有二，二者相濟也，而抑各有所從。博取之象數，遠證之古今，以求盡乎理，所謂格物也。虛以生其明，思以窮其隱，所謂致知也。非致知，則物無所裁而玩物以喪志；非格物，則知非所用而蕩智以入邪。二者相濟，則不容不各致焉。

今闢異學之非，但奉格物以爲宗，則中材以下必溺焉，以喪志爲異學所非，而不能不爲之詘。若奉致知以爲入德之門，乃所以致其知者，非力行而自喻其惟艱，以求研幾而精義，則憑虛以索惝怳之覺悟；雖求異於異學，而逮乎行之齟齬，不相應以適用，則亦與異學均矣。

夫異學者，無患乎齟齬也，齟齬則置之耳。君子之學，仰事天，俯治物，臣以事君，子以事父，內以定好惡之貞淫，外以感民物之應違，而敢恃惝怳之罔光，若有覿焉，奉以周旋而無疚恧乎？由此思之，先所知者與後所行者，求無齟齬而行焉皆順者，十不得五也。若夫無孝弟謹信之大節，或粗有其質而行之不力，乃舍旃以窮年矻矻於章句之雌黃，器服之象法，若朱門後學，尋行數墨，以貽異學之口實；夷考其內行之醇疵，出處之得失，義利之從違，無可表見者，行後之誤人，豈淺鮮哉！憚行之艱，利知之易，以託足焉，朱門後學之失，與陸、楊之徒異尙而同歸。志於君子之道者，非所敢安也。

故「知之非艱，行之惟艱。」艱者先，先難也。非艱者後，後獲也。此非傅說之（祕）〔私〕言也。禹曰：「后克艱厥后，臣克艱厥臣」，行之謂也。皋陶曰：「愼厥身修思永」，行之謂也。伊尹曰：「善無常師，主善爲師」，行之謂也。子曰：「知及之，仁不能守之，雖得之，必失之」，行之謂也。顏子「末由」之歎，歎其行也，竭才以行，不但求知其高堅也。孟子「中道」之敎，敎以行也，能者能從，不但知繩墨彀率而卽能從也。千聖合符，「終日乾乾夕惕若」，乾坤之德業在焉。若抑其邁往之志氣，從事於耳目之浮明，心思之淺慧，以冀一日者御王良，駕騏驥，馳騁於康莊，正王畿、包顯道之以覆轅折軸也。奈之何助其燄以使炎乎？

且夫知也者，固以行爲功者也。行也者，不以知爲功者也。行焉可以得知之效也，知焉未可以得行之效也。將爲格物窮理之學，抑必勉勉孜孜，而後擇之精，語之詳，是知必以行爲功也。行於君民、親友、喜怒、哀樂之間，得而信，失而疑，道乃益明，是行可有知之效也。其力行也，得不以爲歆，失不以爲恤，志壹動氣，惟無審慮卻顧，而後德可據，是行不以知爲功也。冥心而思，觀物而辨，時未至，理未協，情未感，力未贍，俟之他日而行乃爲功，是知不得有行之效也。行可兼知，而知不可兼行。下學而上達，豈達焉而始學乎？君子之學，未嘗離行以爲知也必矣。

離行以爲知，其卑者，則訓詁之末流，無異於詞章之玩物而加陋焉；其高者，瞑目據梧，消心而絕物，得者或得，而失者遂叛道以流於恍惚之中。異學之賊道也，正在於此。而不但異學爲然也，浮屠之參悟者此耳。抑不但浮屠爲然也，黃冠之煉己沐浴，求透簾幙之光者亦此耳。皆先知後行，劃然離行以爲知者也。而爲之辭曰：「知行合一」，吾滋懼矣：懼夫沈溺於行墨者之徒爲異學哂也，尤懼夫浮游於惝怳者之偕異學以迷也。「行之惟艱」，先難者尚知所先哉！

高宗肜日

禮何放乎？放於義矣。義何放乎？放於仁矣。禮何放於義？從其等而宜之爲禮也。義何放於仁？準其心而安之爲義也。故禮依於仁以爲本，惟仁至矣。雖然，仁必以義爲心之則，而後仁果其仁也。仁義必以禮爲德之符，而後仁義果其仁義也。故禮復而後仁可爲也。

仁之見端曰愛，愛莫大於愛親。愛親至矣，宜無有害於仁者矣。雖然，以愛言仁，而有所（宜）〔愛〕

者且有所傷。推而酌之，愛而無傷，非義弗宜也。於親盡愛，無不宜矣，而愛其親者或傷其親。順而事之，於親無傷，非禮弗得也。

愛親至矣，何言乎愛親者之傷親也？夫愛親者，爲吾親而愛之，弗能已於心，不知其何以必愛而愛焉。過此以往，非所知也。故孝子之詩曰：「昊天罔極。」天體無方，其化無迹，孰有知其極者，故罔極也。親之於子：慈也其道也，慈而有所止者其義也，慈而踰其節者其私也。慈而踰其節，君子不敢承之以爲恩，小人於焉懷之以爲惠。懷之以爲惠，而適以成乎親之惡，則愛親而祇以傷親，義之所絀，禮之所禁，仁之賊也。

且夫慈而不踰，亦親之自盡其道，而子之愛親者不緣是以加益。既爲吾親，而無不用其愛，無可益者，故不可以慈而益也。以慈而益，則或不慈而可損，跱躕斟酌於慈與否之間而志已憯矣，不孝莫大焉。況慈踰其節，而敢懷以爲惠，虧禮廢義以殉其貪侈之情也乎？

故高宗之豐祀於(禰)(昵)，昵與禰通，古文借用。賊仁之大者也。古之有天下而尊其父者，惟受命之君爲舍其大宗而崇其所生，則周之舍泰伯而追王王季以承太王是已。德自己立，功自己定，泝己所自成，以親之身承天之命，非王季之有私於文、武，踰分而以天下與之也。斯以爲禮之節，義之宜，而仁亦至矣。若夫繼世以有天下，功不自己定，德不自己立，修七世之祀而尤加隆於其禰，親彌近者愛彌篤，禮之所許也。何也？己非天子，親固其親，非己之親，君固其君也。君親道合，以近彌篤，則豐而無嫌；其遠者，或享嘗以止，或有禱乃祀，仁有殺而義有等，固因心以爲之準矣。

乃若殷之傳世也，則異於是。立弟以次，傳嫡長者之子，成湯之家法，累世承之，秩然之序，森然之防，莫之能踰矣。盤庚循其道而傳弟小辛，小辛循其道而傳弟小乙。小乙廢其道，不以傳盤庚之子，而傳其子武丁，小乙之私也。小乙私而盤庚正。是高宗之天下，非小乙授之，而盤庚授之矣。受盤庚之祚，豐小乙之祀，廢大宗以厚其昵，高宗其曰我奄有之，則禮自我作而已背成湯之家法矣，又何恤盤庚之失所哉？則甚矣高宗之誣也。

誣禮以誣仁，誣仁以誣孝。誣以爲孝，而以愛親之仁文其慝，以號於天下，則格正之藎臣，亦莫得昌言以致詰，而高宗之背道，乃以得罪於天。誣禮則廢義，廢義則賊仁，蔑成湯，背盤庚，而以彰小乙之慝，小乙傷矣。

己之有天下，非功足以定亂，德足以順人，親失道而已徼其幸。有人心者，方且瞿然不安，思反正以蓋前人之愆。今則不然，貪於自大，私其禰以從己之欲，則以導其親者自尊也。夫以其尊者而尊親則親尊，以其尊親者自尊則親辱。夫固謂非親之詘道以授我，則我不得以有天下，而以簞食豆羹施報之情，上事其親。夫以親授我，而我得有天下爲恩，則使親不授我而我不有天下，將以爲怨而薄其報乎？是泰伯可讎太王，大禹不郊伯鯀也。貪簞豆之賜，加愛於其親，稚子且羞爲之，則欲辭傷親之罪，亦奚道哉？祖甲之所不義，而高宗安之；祖丁之以兆亂，而高宗夸大之以孝誣天下：諒闇也，豐祀也，皆其不惠於義者也。義之弗惠，天之所絕，災以之興而雉雊焉，宗廟之中有禽心矣。皇皇然以祈永命於上帝，其可得乎？

嗚呼！邪說興，典禮亂，私欲逞，大義廢。歐陽修、張璁、桂萼賴寵以逢君，而持祖己之讜言者，且覆罪以貶竄。君臣師師，侈爲盛美，而秖以辱親，則不仁莫甚焉。爲人後者爲之子，宋英宗之不得禰濮王明矣。興邸之召，非有遺命，親不可移也。如光武之立別廟而稱府君，子道盡而尊不踰，允矣。列之九廟，躋於武廟之上，則臣踰其君，親非有慝而貽之巨慼。以是爲愛也，不知其秖以傷也。聞祖己之微詞，亦尚知媿矣夫！

夫子之刪書而存此者，何也？書之存，有存君者，有存臣者。盤庚，無臣以存君也。說命、肜日，無君以存臣也。二典、三謨君臣一德之風替矣，高宗而奚得爲有道之君邪？故夫子曰：「何必高宗？」略之之詞也。

微子

微子之去，孔子仁之。或曰，以存祀也。國未亡，廟社未夷，遽附君所讎忌者以求封，而曰存祀，此以爲仁，則劉昶、蕭寶寅之竄身異域而受王封皆仁〔也〕，劉歆、李振、趙孟頫雖無國土而有祿食以祀其先人，皆仁也。以不仁爲仁，道之所以喪，喪於佞人之辨，率此類是已。

故紀季以酅入于齊，春秋書曰「以」，以者，不以者也；曰「入」，入，逆辭也。春秋之所惡，胡氏善之，幾何不獎秦檜，使其君稱「臣構」於女直邪？

且夫古之有天下者，自諸侯而陟，未有天下之先，五廟以饗，固已食於其國矣。迨後嗣之絕於天也，失天下而不失其國，則先世之祀，一如其初；而又隆三恪之典禮，修天子之事守，則喪天下於子孫，而不喪天下於祖考。夫既有淫威以報勝國之祖宗，亦有餘榮以處勝國之孫子，則天位之得失僅繫其人，而上下交無所累，不待存之而自無不存也。

滅國而斬其祀者，五霸之事也；奪天下而絕其後者，暴秦之事也；於是乎天位之存亡累及於宗廟，而三代以上固無不祀之憂。是則成湯之郊禘，紂雖亡，終可不斷，而何待微子之存邪？

蓋微子之去，去紂也，非去商也。苟非存祀，商不可去。借曰存祀，則無微子而紂之裔子固存。祿父之封，必然之事也；東征之舉，不必然之事也。微子而死，商之事守固不泯焉。豈逆料三監挾祿父以速其亡，而期三恪之封在己哉？即令知祿父之必亡，而麗億之子孫皆湯孫也，商祀固不亡也。故微子之去，去紂也，非去商也。憂紂虐之及己，而重累以骨肉戕忍之惡也，故曰仁也。

夫仁不辟禍以害心，義不幸禍以成名。名順而心不安，不徇乎名；心安而名不順，不徇乎心。紂之「發出狂」而「家耄」之不保，則亦何有於其兄？何有於其兄，而箕子之舊云「刻子」者，於微子而尤有建成、廷美之嫌，故微子之於此難矣。沈酗敗德，商其淪喪矣。隱痛在心，而涕泣弗釋，固重也。而更有重於此者。

藉微子而如箕、比，以危言投毒忌之耳，紂之虐用四殺者，視諸箕、比，其發尤酷，而又可加以爭奪之名。以宋襄公之友愛，目夷之三諫，且如水之沃石，而和樂之義失焉，蓋亦嫌疑之未泯也。

如欲詭隨以偷全兄弟之歡與？則必如寧王成器之於玄宗，斯可免矣。玉笛之朋淫，花奴之詭對，豈微子之忍用其心與？又況紂之安忍無親，曾不足望宋襄、唐玄之項背哉？

箕子之不死，偶也。比干之死，必也。微子之諫而必死也，甚於比干，而必不得者，箕子之偶以生也。夫惟使紂而無以加其惡於微子，則四海內胥怨獨夫，家耄猶安遯野。

藉令微子秉淸剛以立凶人之側，激紂毒猜之素，陰惡其匡正之予違，陽被以爭立之宿怨，則紂賊殺天倫之巨惡，家耄可以聲討，西伯可以執言，商之淪喪，因微子之死而已速，則微子雖死，而疚憾深矣。

又令幽囚待戮，鉤連善類，以激臣民之憤怨，離心之多士，播棄之黎老，挾長幼之大義，矯適庶之虛名，擁戴元良，明加易置，而文王服事之忱，亦欣於得主，以終忠貞之世篤；則微子以之死而之生，商祚以之亡而之存，而幽獨之不寧，則不但如成湯之有慙德，且使蕭鸞、陳頊之懷逆以篡者，假爲口實，尤仁人所不忍自我而開也。

欲救亡而祗以速紂之亡，欲忠紂而或以代紂之位。心不安則不忍徇鎭撫社稷之名，名不順則不敢徇捐軀效節之心。抑必不可同昏以祈免也。然則父師之「刻」，微子不但「刻」以身之危，抑「刻」以心之苦矣。

故展轉思之，窮而「出迪」，惟一去之差爲自靖也。爲亡國之公子易，爲去國之元子難。「罔爲臣僕」於周易，罔爲兵端於商難。仁者之用心，固有然已。

迨其後，殷命已革，祿父猶存，行遯荒郊，而三洛之祀，終非微子任也。及乎紂胤已殄，玄王幾餒，而後亦白其馬以來賓，則行遯之初，何嘗有存祀之心稍分其隱恤也乎？

史氏抱器牽羊之説，其誣也久矣。假令祿父長保東郊，三恪永存紂裔，微子固將浮沈寄食，歸骨於祿父之邦。而商隨奄滅，成王正元子之名以就封於宋，周人以是厭服頑民之心，乃微子之莫可如何，蠹然傷心；特以廟食之責，無可復諉，不得已而受命焉。悠悠蒼天，痛愈深而志愈隱矣。痛之深、志之隱者，仁也。故曰：「殷有三仁(也)〔焉〕。」

若夫以天倫之至愛，處無嫌之地，而箝舌以同昏，是愈疏也。當家邦之喪，而外附以免禍，是助逆也。況乎際郡縣之天下，國亡而祀斬，無尺土之可依，受仇讎之新命，行同犬豕而恩斬葛藟，亦安足列於人類哉！

存祀云者，不仁之人降以求榮，藉口之詞也。非孔子之以稱微子者也。邪説興，天理滅，可弗辨與！讀微子之篇，察其勢之所值、心之所存，可以折其妄矣。

尙書引義卷四

泰誓上

道之大原惟天，萬物之大原惟天地，天下之大原惟君，人之大原惟父母。由一而向萬，本大而末小。本大而一者，理之一也；末小而萬者，分之殊也。理惟其一，道之所以統於同；分惟其殊，人之所以必珍其獨。故父母者，人道之大也。以大統小而同者疏，故天地父母萬物，而人不得以天爲父，以地爲母。道無爲，天地有爲。物生於有，不生於無；故道不任父母萬物，而天地父母萬物。子法父母，故人法天地而道不可法。有行於無，無不行於有；故人弘道而天地不資道以弘。

天地無心，元后有心。無心無擇，有心有擇；故天地父母萬物，而元后不任爲萬物父母，而惟「作民父母」。天地無作，而父母之道固在，元后不作，而父母之道曠矣。元后非施生，而父施母生；故父母配天地之施生，而元后必待作而後均於父母。與物同者疏，獨民有者親，則天地疏而元后親。有施者親，無施者疏，則天地親而元后疏。

親疏之殺，效法率行之別，大小之異，本末之差，分之殊也。天地、元后、父母，其道均也，理之一也。理一而分殊，此之謂也。

道不任父母萬物而天地任之，故周易並建乾坤，以統六十有二之變，不推於自然之理，而本於有爲之健順。元后能以其不施生者作而贊天地父母之施生，而後可以繼天地以均於父母，故人無易天地、易父母，而有可易之君。

天地率由於一陰一陽之道以生萬物，父母率行於一陰一陽之道以生子。故孝子事父母如天地，而帝王以其親配上帝。元后效法天地以父母民，故忠臣稱天以誄君，而戴之以死生。

以小承大而德無不充，故太極之成男成女者，第四圜圖。父母之施生也，而與太極絜其大。以大統小而道漸以分，故太極之二殊五實囿於太極之中而不可伉也。反其所自生而親始之謂仁，秩其所以生而類別之謂義。仁之至，義之盡，以極天下之道，盡於此矣。

昧於其漸降漸分、源流親疏之序，而凌躐以迫求其本，乃爲之說曰：「萬物之生，生於一也；萬物之生，生於道也。」一也者，未有殊而未有實也。道也者，非有心而非有爲也。無實之謂幻生，無殊之謂歸一。無心之謂不可思議，無爲之謂聽其自已。則將於其率行者而效法之，則將於其效法者而率行之，顚倒揉亂，㮚然自大，而後元后不足以紀之，父母不足以有之，窒其必惻、必隱之心則不仁，亂其類聚、羣分之理則不義，仁義充塞而人禽之畛破矣。

夫道也者路也，人率路以行，路不足以有行也。天地者實也。虛不可分，而實可分也。雖有甚辯之口，其能易吾言哉？

天地之生物，求擬其似，惟父母而已。子未生而父母不羸，子生而父母不損。然則先儒之以汞傾地而皆圓爲擬者誤矣。析大汞之圓爲小汞之圓，而大汞損也。子非損父母者也。

子生於父母，而實有其子。物生於天地，而實有其物。然則先儒之以月落萬川爲擬者誤矣。川月非眞，離月之影，而川固無月也。

以川月爲子，以月爲父母，則子者父母之幻影也。子固非幻有者也。是「天地不仁，芻狗萬物」之議也。

以小汞爲子，大汞爲父母，則天地父母無自立之體，而分合一因於偶然，將思成無父母，對越無上帝，是海漚起滅之說也。何居乎爲君子儒而蒙釋、老之說邪？

是其爲言也，將使爲君父者土苴其臣子，爲臣子者叛棄其君親而莫之恤。何也？生於無爲之道，則惟無生有，而有者必非我之自生。非我之自生，強而合之，不親矣，而背棄之惡不恤矣。道無爲而生民物，則惟無也而後可以爲父母，而有者不足以爲父母。不足以爲父母，強欲有功，誠贅疣矣，而土苴之惡不恤矣。

及其下流，則將視臣弒君、子弒父者，亦與戮囚隸、殺芻豢均也。何也？道固無擇，生均則殺均也。則將視逐殺無過之子、炮烙無辜之民，亦與薙草、伐木均也。何也？道本無功，恩不任恩，怨不任怨也。是孔子之釣弋，罪等於商臣宋萬；而帝王之彰善癉惡，曾不如立視其死之牧人矣。

嗚呼！吾知其有大欲存焉。天地所健行无疆以成之者，彼直欲敗之也；父母所恩斯勤斯以鬻之者，彼直欲死之也。欲敗之，故成不以爲德；欲死之，故生不以爲恩。夫欲其速敗而疾死，則亦何難哉！紂衣寶玉以自焚而萬緣畢矣。

若此者，惻隱之心蕩，而羞惡之心亦亡也。羞惡之心亡，故枵然自大，以爲父母不足以子我，天地不足以人我，我之有生自無始以來而有之矣。無始者，無爲無心而我生矣，無爲無心而人生矣，無爲無心而物生矣。故曰：「天地與我同根，萬物與我共命」，衆生之生於道，一眞之法界也。區生而失其大，乃有分段之生死。萬未歸一，如大汞之小而未合，川水之圅月影而非卽月也。於是立一無實之法，欲以合月影於天，聚已散之汞於一，而枵然自侈曰：「萬法歸一」，一更無歸而西江吸盡矣。甚矣其愚也！

夫道也者路也。路一成而萬里千歧，合并具現於一日，極天下之敏疾未有能效法之者。不揣其必不能效法，而棄其所可率行，安忍自放，貪大無厭，舍所能而規所不能；已終於不能，而徒欲速敗而速死，以戕物而自戕，均於紂之迷以速亡，猶且枵然自大，曰：「吾業已與道爲一矣」，是猶雲迷月影，而曰水月之上合於天也。羞惡之心猶有存焉者乎？

夫君子「擬之而言，議之而動」，惇羞惡之實，循惻隱之發：知道之不任乎生，知生之率行乎道，知天地以有爲生萬物，知父母以有施生子，知元后以有所作而贊施生者配天地而爲父母；故以有爲之德業配天地，而以有心之忠孝報君親。斷其相統者爲尊，則君尊於父；斷其承天以施生者爲親，則父母親於君；斷自天地始，而無先於天地生天地之道，則在天者卽爲道，以謹於法天；順其理，循其分，終身由之爲不遠之則，聰明亶而繼天立極，冒天下之道而皆實，泰誓之言盡之矣！

泰誓中

尊無與尙，道弗能踰，人不得違者，惟天而已。曰：「天視自我民視，天聽自我民聽」，舉天而屬之民，其重民也至矣。雖然，言民而繫之天，其用民也尤愼矣。善讀書者，繹其言而展轉反側以繹之，道乃盡，古人之辭乃以無疵。

言之無疵者，用之一時而業以崇，進之百世而道以建，大公於天下，而上下、前後、左右，皆一矩絜之而得其平；徵天於民，用民以天，夫然後大公以協於均平，而持衡者愼也。故可推廣而言之曰：「天視聽自民視聽」，以極乎道之所察；固可推本而言之曰：「民視聽自天視聽」，以定乎理之所存。之二說者，其歸一也，而用之者不一。展轉以繹之，道存乎其閒矣。

由乎人之不知重民者，則卽民以見天，而莫畏匪民矣。由乎人之不能審於民者，則援天以觀民，而民之情僞不可不深知而愼用之矣。

蓋天顯於民，而民必依天以立命，合天人於一理。天者，理而已矣。有目而能視，有耳而能聽，孰使之能然？天之理也。有視聽而有聰明，有聰明而有好惡，有好惡而有德怨，情所必逮，事所必興矣，莫不有理存焉。故民之德怨，理所察也，謹所惡以亶聰明者所必察也。

舍民而言天，於是而合於符瑞圖讖以徼幸，假於時日卜筮以誣民，於是而抑有（傲）〔倣〕以從康者。矯之曰：「天命不足畏也。」兩者爭辯，而要以拂民之情。

乃舍天而言民，於是而有築室之道謀，於是而有違道之干譽，於是而抑有偏聽以釀亂者。矯之曰：「人言不足恤也。」兩者爭辯，而要以逆天之則。

夫重民以天，而昭其視聽爲天之所察，曰「匹夫匹婦之德怨，天之賞罰也」，俾爲人上者之知所畏也，古之人已虩虩乎其言之矣。若夫用民而必愼之者，何也？民之重，重以天也。匹夫匹婦之德怨爲奉天以行好惡之準，而敢易言之乎？唐虞之「於變時雍」，成周之「偏爲爾德」，今不知其風化之何如也。意者民之視聽審，好惡貞，聰明著，德怨淸，爲奉天者所可循以罔愆乎？然而古之聖人，亦未嘗以無心而任物，無擇而固執也。垂及後世，敎衰風替，固難言之矣。

司馬溫公入覲，而擁輿緣屋以爭一見矣。李綱陷天子於孤城以就俘，而讙呼者亦數萬人矣。董卓掠子女，殺丁壯，而民樂其然臍矣。子產定田疇，敎子弟，而民亦歌欲殺矣。故曰：敎已衰，風已替，而固難言之也。

舜之戒禹曰：「無稽之言勿聽。」民之視聽，非能有所稽者也。盤庚之誥曰：「而胥動以浮言」，民之視聽，一動而浮游不已者也。然唐、虞、三代之民固已難言之，而況後世乎？

且夫視而能見，聽而能聞，非人之能有之也，天也。「天有顯道」，顯之於聲色，而視聽麗焉。天有神化，神以爲化，人秉爲靈，而聰明啓焉。然而天之道廣矣，天之神萬化無私矣。故凡有色者皆以發人之視，凡有聲者皆以入人之聽，凡有目者皆載可視之靈，凡有耳者皆載可聽之靈，民特其秀者而固與爲緣也。聖人體其化裁，成其聲色，以盡民之性；君子凝其神，審其聲色，以立民之則；而萬有不齊之民未得與焉。

於是不度之聲，不正之色，物變雜生，以搖動其耳目而移易其初秉之靈；於是眈眈之視，憒憒之聽，物氣之薰蒸，漸漬其耳目而遺忘其固有之精。則雖民也，而化於物矣。

夫物之視聽，亦未嘗非天之察也，而固非民之天也。非民之天，則視眩而聽熒，曹好而黨惡，忘大德，思小怨，一夫倡之，萬人和之，不崇朝而喧闐流沔，溢於四海，旦喜夕怒，莫能詰其所終。若此者，非奉天以觀民，孰與定其權衡，而可惟流風之披靡以詭隨哉？故曰「天視聽自民視聽」，而不可忽也；「民視聽抑必自天視聽」，而不可不愼也。

今夫天，徹乎古今而一也，〔周乎六合而一也，通乎晝夜而一也〕。其運也密，而無紜然之變也；其化也漸，而無猝然之興也；穆然以感，而無熒然之發而不可收也。然則審民之視聽，以貞己之從違者，亦準諸此而已矣。

一旦之嚮背，騖之如不及，已而釋然其鮮味矣。一方之風尙，趨之如恐後，徙其地而漠然其已忘矣。一事之愉快，傳之而爭相歆羨，旋受其害而固不暇謀矣。教之衰，風之替，民之視聽如此者甚夥也。

故酷吏之誅鋤，細人之沾惠，姦人之流涕，辨士之立談，以及乎佛、老生死苦樂之猥言，視之而目不給於觀感，聽之而耳不厭於稱說，亦民情也，而固非天所予也。抱幽獨之孤志，持靜正之風裁，慮遠而妨小利，執古而矯積風，以及乎君子高堅中道之至教，視之而不愜於目，聽之而不辨於耳，亦民情也，而固非天所奪也。

惟夫如紂者，朋凶播惡，積之已深而毒民也亟，民之視聽，允合乎上帝之鑒觀，則順民以致討而應乎天。然且文王俟之終身，武王俟之十三年之後，不敢以一時喧騰之詛呪、一方流離之情形，順徇其耳目，徐而察之，「獨夫」之定論果出於至公，然後決言之曰：「此民之視聽，卽天之視聽所察也」，「上帝臨女」，可「勿貳爾心」矣。

雖然，武王於此重言民，而猶有所未愼也。既曰：「民之視聽卽天」矣，則今日億萬人之倒戈以北者惟民也，他日多士、多方之交作不典者亦惟民也。民權畸重，則民志不寧。其流既決，挽之勞而交受其傷，將焉及哉！

民獻有十夫，而視無不明矣，聽無不聰矣。以民迓天，而以天鑒民，理之所審，情之所協，聰明以亶，好惡以貞，德怨以定，賞罰以裁，民無不宜，天無不憲，則推之天下，推之萬世而無敝。故曰：「天視聽自民視聽，民視聽自天視聽」，展轉繹之而後辭以達理以盡也。

泰誓牧誓

割正方夏，綏不輯之臣民，建不拔之業，必有實焉，非僅以名也。革命者，應乎天，順乎人，乃以永世。天者，無能名者也。民者，不知有名而好之者也。故應天者以心，順人者以事。無怍於心，無歉於事，天人皆應之。何取於爲之名而蘄乎人之是己，蘄乎人之非彼，乃足以承天而定民志邪？

雖然，名之與實，豈相離而可偏廢者乎？名之與實，形之與象，聲之與響也。形聲成於己，而象著於天下之目，嚮徹於天下之耳，耳目移而心志從。定亂世之天下，御亂世之人心，舍是奚以哉？

世之降也，民志之不易孚也。無怍於心，而蘄乎人之信，操獨行者有不能喻之妻子者矣。無歉於事，而蘄乎人之從，修禮容者有不能合於鄉黨者矣。奚況四海之廣，兆人之衆，桀傲譎詐者相乘以相難乎？是故以周之世德，革紂之窮凶，仰不媿天，而下爲萬方之待命，則牧野之師，卽不歷斥獨夫淫凶之罪，以與爭逆順之名，姑與含弘，養忠貞之世德，庸詎非仁人君子之用心？而旦北面，夕仇讎，揭元后父母之義聲，擿醉飽房帷之隱慝，大聲疾呼，詬誶無餘，以貸士卒之勇，不已過與？

夫名者，在彼在此之無定者也。從君與父之道而言之，仁不仁之名正矣。從臣與子之道而言之，義不義之名亦可正矣。保無蹶起而與蹊田奪牛之訟乎？而固不然也。天下喪其實，以實救之，君子修其實而據以爲德。天下喪其實，且喪其名，以名顯之，君子必正其名而立以爲(直)〔道〕。名者，人道之大者也。治逆亂之天下，君以賊道王，臣以狄道貴，民以禽道生；既喪其實，尤喪其名。王者去死而奠之生，珍人而殊之禽，實既孚於天下，而名居尤重之勢，必自我正之，而後天下之耳目治而心志一。

不仁者不可以爲父母，正其名而仁乃昭。不義者不可以爲元后，正其名而後義乃著。名之自生，天隱而不與以可知；名之既立，民愚而不能知其故。名賊爲君而君之，君之名可移也。名狄爲臣而臣之，臣之名可移也。名禽爲人而人之，人之名可移也。正者，正其不可移者也。故以臣代君，以征伐有天下，不極其名以昭示其實，則詐諼強力者亦且挾實以搖天下之人心，而仁義永亡。

嗚呼！三代以下，統愈亂，世愈降，道愈微，盜憯主，夷猾夏，恬不知怪，以垂至於今，豈徒實之不逮哉？名先喪也。

漢鑒秦之喪實，而昧於秦之喪名，苛政去而禮樂不興，劣一賈、董之粗陳古道，且如病者之忌藥也，則先王之道，非喪於秦而喪於漢。然其聲暴秦之罪，發義帝之喪，名厘存焉，而漢之流風，固以賢於唐、宋。

唐起晉陽以自救其死，非有生天下之實也。乃陽尊楊侑以掩耳，則名隨實而喪。宋顧盼而奪孤兒之位，業已無可爲名也，厘以小惠餌天下而縻之，塗飾技窮，拱手以授赤子於（他國）豺狼，而實亦隨名以無遺。

嗚呼！唐、宋之天下，朝廷無義問，天下無適從，亂日生而盜夷交起，蓋暴行之殃民者淺，而邪說之殄民者深也。名之不正，邪說之所由生也。（元順）〔蒙古〕之不仁而毒天下之生靈，亦如紂而已〔耳〕。而揆諸天地之大義，率天下而禽之，則亙古所未有也。洪武之治，以實論之，非貞觀、建隆之不可企及者。所爲卓絶古今，功軼於（二）〔三〕王，道隆於百世者，拔人於禽而昭蘇之，名莫有尙焉。

夫修其實以得其名者，君之道也；顯其名以昭〔其〕實者，臣之職也。故湯憂口實而仲虺作誥，武末受命而周公賦雅，喻后志以靖民心，商周之王業光，而千秋之分義定。雖桀、紂以禹、湯明德之裔胤爲天下君者，且顯黜之，以奪其元后之尊，而正名之曰獨夫，無務包荒以疑天下之耳目，何赫赫也！

鄙哉！青田、金華之爲臣乎！始昧卷懷之義，後矜姑息之仁，徇流俗之浮言，悖光昭之大志，乃錫妥懽以美謚，奬余闕之怙終，列薛禪於祀典，假買的以侯封，犬豕厠於羲、農，匹鶵混於三恪，褒飛廉之就戮，等張、許之孤忠；獎狐鼠之晝奔，爲紀侯之大去。其尤悖者，修元史以繼唐、宋之書，存遼、金以仍脫脫之僭，使獲麟之後，步後塵者爲蝸涎之篆。顧區區以詆友諒，存士誠，侈蕩定之勳，而揜其補天浴日之顯功，不已陋與！

弗望其爲仲虺、周公也，使得如陸賈、班彪之知逆順，揚滌除之鴻猷，斥犬羊之腥聞，庶幾哉！天下之視聽淸，萬世之綱維定。又何至旋踵而陷弱宋之禍哉？天地閉，賢人隱，當利見在田之時，而括囊无譽，亦可傷也。後之君子，其亦有鑒於斯乎！

武成

漢賈生之論曰：「攻守異勢」，駁儒之言也，而周初之事，良有以開之。或武成、戴記之不足信邪？抑武王、太公之有未得也？今請言之。

攻不足以守，則天下不服；守不足以攻，則天下不信。放牛歸馬，亟示天下以不用兵，未十年而東征之役起，則亦不足以立信於天下矣。東人未靖，非不可知，遽偃武以告成，亦已疏矣。抑知其不可遽偃，姑偃之以安反側，迨其後又徐圖之邪？則操朝四暮三之術以籠愚賤，是術也，固以道貞治，爲守天下可久之規者所不屑也。粲陽縱陰操之智計，爲或攻或守之權謀，爲譎而已矣。故曰賈生之說，周初之事有以開之也。武成之書不足多取，孟子言之矣，而非盡史臣之誣也。以武王伐商之事較之湯、文，則武王實有間焉。

奚以明其然也？勢者事之所因，事者勢之所就，故離事無理，離理無勢。勢之難易，理之順逆爲之也。理順斯勢順矣，理逆斯勢逆矣。君臣之分，上下、輕重、先後、緩急之權衡，其順其逆，不易之理也。守天下者，辨上下，定民志，致遠而必服，垂久而必信，理之順卽勢之便也。攻以此攻，守以此守，無二理也，無二勢也。勢處於不順，則事雖易而必難。事之已難，則不能豫持後勢而立可久之法以昭大信於天下，所必然矣。故武王非不知十年之中且有東征之役，而不能黷武以爭伏莽之戎，勢處於不便也。故曰，武王實有間焉，非盡史臣之誣也。

夫順逆者輕重之委也，輕重者權衡之所得也。權衡立而輕重不爽，輕重不爽而先後不忒，先後不忒而上下不拂，上下不拂則大順而無逆。權衡審於理，順逆成於勢，端擧而委從，故曰理外無勢也。

是故成湯之取天下，亦誅君之擧也；文王之專征伐，亦代商之勢也。然而有異焉：湯、文之勢，攻可守也；武王之勢，非以守者攻也。則何以明其然邪？

桀之無道，韋、顧、昆吾助之；紂之無道，崇、黎助之，奄、徐繼助之。夫寧不知三鬷、崇、黎，罪薄於桀、紂？而「有虞秉鉞」，先及三鬷，徐乃爲南巢之放；汝墳受索，率以服事，姑用懲於崇、黎之戡；將毋罪罰之輕重不稱，而底定之後先爲已拂與？乃審理以爲權衡，而輕重固有不然者。

首惡而爲惡之淵藪者重，從惡而爲惡之朋黨者輕，此情之輕重也。首惡者君，則以貴治賤，末減而輕；從惡者臣，則用下罔上，加等而重；此理之輕重也。守天下者，正名定分而天下信，惟因理以得勢。攻天下者，原情準理而天下服，則亦順勢以循理。是故三鬷、崇、黎，亟試其鈇鉞，而緩桀、紂以悔禍之路。湯、文之爲此者以循理，而勢已無不得矣。故朋兇先翦，獨夫無助，待其怙終不悔，則羽翼已摧，四海永清，而無反側之可憂矣。

夫文王之至德，足以服六州而久其信，故其後東郊大擾，而西土南國，悠然於棫樸、芣苢之側，不待覿文匿武以相鎮撫，固已有成效之可覩矣。

藉令成湯升陑之後，投兵於淵，焚車於野，數世之内，自可無再誥多方之舉，然而有所不必也。天下已無奄、徐，帖然相喻於一王之下，日講武於國而自可亡疑也。

牧野之事則異是矣，誠有間矣。後同惡之討，先殷郊之戰，低昂於輕重者因乎情，而較量乎順逆者拂其理。令以此道而守天下，則臣主貿其安危，上下失其厚薄，固非安上治民之大經。非大經，則不可以守。不可以守，而以之攻，王也而近乎霸矣。

冠雖敝也，而亟裂之；源雖濁也，而亟塞之。黨邪醜正者實繁有徒，且逍遥而觀望，乃櫜弓戢盾以慰之曰，「吾不爾求也。」譬之治瘍者，急肉其從潰之穴，而遽矜勿藥之喜，餘毒旁溢，害且滋深。故子嬰降而成皋之戰方興，王莽誅而長安之亡益亟，皆必然之勢也。自非文王培義之深，則商、奄之亂，周亦危矣哉！大告武成，而偃兵以示天下，武王其有姑且之心與！則惟權衡未審而不協於理之大經也。

故春秋者，王道之權衡也，罪均從情，情均從理。邾、鄭伐宋，同爲外君，則序邾、鄭上，以邾首禍，不以鄭大而畸重之。公及齊人狩於禚，魯親齊疏，則人齊侯，而不貶公，不以魯莊忘仇淫獵而亟誅之。劉、單從王猛以争立，王猛尊而劉、單卑，則先二子而書曰以，不以王猛違君父之心，而亟誅其競。陽虎四季斯，斯貴而虎賤，則書曰盜，不以斯積僭君之惡，而冀幸其敗。

守春秋之法以守天下，卽可奉春秋之法以攻天下。攻而莫不服，守而莫不信，則牛不必放，馬不必歸，詰戎兵以防不虞，而人固知其無玉石俱焚之心。奉守之理以攻，存攻之勢以守，道合於一，而天下平矣。

洪範一

天下無數外之象，無象外之數。既有象，則得以一之、二之而數之矣。既有數，則得以奇之、偶之而像之矣。是故象數相倚，象生數，數亦生象。象生數，有象而數之以爲數；數生象，有數而遂成乎其爲象。象生數者，天使之有是體，而人得紀之也。如目固有兩以成象，而人得數之以二；指固有五以成象，而人得數之以五。數生象者，人備乎其數，而體乃以成也。如天子諸侯降殺以兩，而尊卑之象成，族序以九，而親疏等殺之象成。易先象而後數，疇先數而後象。易，變也，變無心而成化，天也；天垂象以示人，而人得以數測之也。疇，事也，事有爲而作，則人也；人備數以合天，而天之象以合也。故疇者先數而後象也。夫既先數而後象，則固先用而後體，先人事而後天道，易可筮而疇不可占。不知而作，其九峯蔡氏之皇極與？

九峯之言曰：「後之作者，或卽象而爲數，或反數而擬象，牽合附會，自然之數益晦蝕焉。」夫九峯抑知自然相因之理乎？象生數，則卽象固可爲數矣；數生象，則反數固可以擬象矣。象之垂也，孤立，則可數之以一；並行，固可數之以二，象何不可以爲數？數之列也，有一，則特立無偶之象成；有二，則並峙而不相下之象成，數何不可以擬象？洞極之於雒書，潛虛之於河圖，毋亦象數之未有當，而豈不能廢一以專用之爲咎乎？九峯不知象數相因、天人異用之理，其於疇也，未之曙者多矣。

夫疇何爲者也？天錫禹而俾敍乎人事者也。人事有必至之數，賢者不能羸也，愚者不能縮也。數有必因之序，先者不可後，後者不可先也。數有必合之理，相遇而不可違，相卽而不可離也。數有相得之情，發乎此而應乎彼，通乎彼而實感乎此也，而後彝倫攸敍而勿之有斁也。

是故易，吉凶悔吝之幾也；疇，善惡得失之爲也。易以知天，疇以盡人，而天人之事備矣。河出圖，雒出書，天垂法以前聖人之用。天無殊象，而圖書有異數，則或以紀天道之固然，或以效人事之當修，或以彰體之可用，或以示用之合體。故易與鬼謀，而疇代天工，聖人之所不能違矣。

乾者，天之健也。坤者，地之順也。君子以天之乾自強不息，以地之坤厚德載物。乾坤之德固然，君子以之則德業合於天地，小人不以〔則〕自喪其德業，而天固不失其行，地固不喪其勢，此易之以天道治人事也。

「初一曰五行」，行於人而修五行之政，「次二曰五事」，人所事而盡五事之才，不才之子汨五行而行以愆；遂皇不鑽木則火不炎上，后稷不播種則土不稼穡，不肖之子荒五事而事以廢；目不辨善惡謂之瞽，耳不知從違謂之聵矣。此疇之以人事法天道也。惟其然，故易可通人謀以利於用，疇不可聽鬼謀而自棄其體也。

乃其所以然者，天固於圖書而昭示之矣。河圖之數五十有五。天一地二，天三地四，天五地六，天七地八，天九地十，五位相得，而五十有五之數全。天無不彰之體，固有其五十有五而不容缺。雒書之數四十有五。四十有五則既缺其十矣。缺其十者，盡人之用止於九，四方四隅之相配，固可合之以成十，而必待人用以協於善。

天不能使人處乎自然，無思無爲而道已備也。天數極於九，地數極於十，十陰而九陽，天義而地惠，陰養而陽德。夫人之爲道，既異於天之無擇矣。抑陰以扶陽，先義而後惠，厚德而薄養。人之上不淩天，下不亂於物者，賴此耳。故雒書缺十而極於九。一、三、五、七、九，可使相得而十；二、四、八、六、十，不可使相得而九。盡人之用，曲能有誠，一九、二八、三七、四六，協情比物，固足以十，而成五十有五之數。惟曲不致而用終隱，遂自畫於九之區宇。天無待而人能配天者，存乎修爲之合也，故雒書缺十而極於九。

天無爲也，無爲而缺，則終缺矣。故吉凶常變，萬理悉備，而後自然之德全，以聽人之擇執。人有爲也，有爲而求盈，盈而與天爭勝。爭之而佹勝，則心知血氣之害烈；不爭而佹得，則偷惰之計生。況乎血氣心知之所限，成敗倚伏之相乘，必無固盈焉而能與天爭者，又奚待計其勝負哉？故緝裘以代毛，鑄兵以代角，固有之體則已處乎其缺，合而有得，而後用乃不詘。雖汩五行者不能抗也，故雒書缺十而極於九。

十之盈者天也，九之缺者人也。不可以天之數求人，不可以人之數測天。化極於十，事止於九。虛張其事以妄擬於化，斯誣人之不足，以抗天之有餘，而人道不足。故曰，九峯之於疇，其尚未之曙也。藉其知之，則不以九疇之敍聽之蓍策矣。

今夫蓍策之用：虛其一、分爲二，掛其一、揲以四，人之營也；分二而左右之，多寡無心，鬼之謀也。五行作而五用成，五事踐而四體正，八政修而三官理，五紀順而八象（外）〔叶〕，皇極建而一德立，三德乂而六用和，稽疑用而七占神，庶徵應而二塗啓，五福、六極審而九數從，詳見稗疏。鉄絫不爽於衡，影響不差於應，自人爲之，自人致之，而彝倫於是敍焉。惡有不可知者以聽於鬼謀乎？聽於鬼謀，則已昧於九者之爲疇而惟人之攸敍矣。

夫惟其然，是以知蔡氏之皇極，於象無當也，於理無準也，而於數固無合焉。無當於象，九峯自知之矣。「一一而原原」，孰之原？「九九而終終」，孰之終？豈若乾之實有其理，未濟之實有其事乎？求之於天，無有原也。求之於人事，未有終也。求之於洪範，非一曰水之爲原，六極弱之爲終也。不可以象則不可以占，乃曰「易用象而疇用數」，以自文其過。不知易之固有數，而以己之偏，誣易之實，不已妄與！

雖然，其猶有辭矣。若夫無準於理，則更無可爲之辭矣。天下之生，無有自萬而消歸於一者，亦無有積一而斯底於萬以不可收者。自萬而歸於一，釋氏蓋言之矣。積一生萬而不可收，老氏蓋言之矣。老氏之言曰：「一生二，二生三，三生萬物。」然則日盈日積，而天地之不足以容矣。

天地之生，無可囿之變，有必合之符；有潛復之用，無窮大之憂。蔡西山之言律也，曰：「律呂之數，往而不返。」聲音之道卽令有然者，亦不可以盡天下之理。九峯徒讀父書，遂欲以九寸之管，括萬化以一律，斯已陋矣。以律通曆可合也，而不盡合也。以律曆括天下之數，偶有合焉，而固不合也。況其以括天地之變蕃，人事之亹亹者乎？

由人而測聲之高下，以爲長短、輕重、洪細、多寡之數，則黃鐘之實，可有一十七萬七千一百四十七虛立之杪忽。由人而測歲之積分，以爲氣盈、朔虛、中候、閏餘之數，則歲周之實，有其二百五萬九千九百一十四之分杪。此據蔡氏書所用曆法。非律與歲實有之，人不得已用數以測之也。若夫五音十二之旋生，日月星辰之密移，則人所謂虛而彼且盈，人所謂長而彼已消，夫何嘗固有一成者乎？

且律之遞減也，蕤賓之下生，損至八萬二千九百四十四，則律短陽虧，音殺而不成，則大呂用倍，得十六萬五千八百八十八焉。夷則之生夾鐘，無射之生中呂猶是也。以故中呂之實，能有十三萬一千七十二，不使亥律道絕乎黃鐘，而以巳之應鐘九萬三千三百十二爲極下。蓋萬籟之聲，無漸減漸衰至於六萬五千五百三十六之調，實維天下之生，無漸減漸衰不可復生以嚮於無之理，則亦無衰減之極僅有六萬五千五百三十六，而一旦驟反於十七萬七千一百四十七之勢。律以漸損，損極而不得益，故寄衰於應鐘而不於中呂。

皇極之數以漸益，益極而無所損，則業已由一而九，由九而八十一，由八十一而六千五百六十一，由六千五百六十一而四千三百四萬六千七百二十一。乃大雪之末，冬至之初，俄頃而驟反乎一，彼四千三百四萬六千七百二十者果何往邪？將替而無之，則其滅無端；將推而容之，則無地可容矣。抑將括而一之，則其一者厖然巨物，天地之間無肖之者。豈獨冬至子半有此洪洞無涯之氣應哉？

且律云不反，亦西山之臆說，非不反也。於蕤賓之下生，大呂倍用焉而反矣。於徵羽之五十四、四十八，生商角焉而反矣。乃中呂之半，上生黃鐘，於數懸絕，則以黃鐘爲中聲而非始，中呂亦爲中聲而非始。故朱子曰：「聲自屬陰，中呂以下，亦當默有十二正變半律之地，以爲中聲之前段。」是說也，蓋與易有十二陰陽各六卦用其六之理，若合符契。是故在巳而衰，至午而盛，九萬三千三百一十二之益一，上生十二萬四千四百一十六，捷往捷反，至密無間。

今皇極數於大雪之末，四千三百四萬六千七百二十一，既無可損，使下生冬至子半一之理，而芒種之末，夏至之初，二千一百五十二萬三千三百六十有半，亦當旋爲往反，俾得所歸，以配陰陽升降衰王之恆。乃由一向二，若筦庫之數倉儲，勢限於無所歸，乘除術窮，遂至窮奢極繁，一往而不謀所終。豈今年之冬至，由一向多，以趨於大雪，而明年之冬至，由多反一，自四千三百四萬六千七百二十一趨於大雪，漸減而歸於一乎？抑明年〔冬至〕復益一以趨大雪者，可有八千六百九萬三千四百四十二邪？自有甲子以來，至於今日，窮天下之算，不足以紀之矣。

藉其不然，歲自爲歲，斷而不續，則歲果何物，各有形段，可截取以爲一定之理數哉？曆家歲實之數，雖極繁衍，至於閏，而前之入限者或棄之矣，非於大雪之末棄之也。皇極之數，積之不能，棄之不可。吾不知所測者何物，所肖者何氣，拘守往而不反之家傳，顯背默有十二之師說。乃云天之垂象，禹之代工，理胥此焉，不亦誣乎！將焉用之？爲戲而已矣。

乃若於數無合，則尤著明而不可揜。何也？數之有徑圍者，測數也；其開方，實數也。圓徑一而圍三，一而已矣，非有三而人三之也。圓徑一，亦不啻圍三。以圍三爲徑一者，方田粗率耳。用祖沖之密率校之，則七而差一。方徑一而圍四，一而已矣，非有四而人四之也。開方之數，有一爲一，有二爲二，實有之而數其本積也，故曰實也。

以一測圓而三，不測則三不立。有一於此，而又有一於彼，二之立也。盲者能以手循，稚子能以指屈，二固立矣。一生二，非生二也，二與一俱生，先一後二，可名之爲生也。一生三，從徑圍測之，則有名而已矣，非實也。若云二生三，則誣甚矣。

一與一爲二，漸就於有，二與一爲三，復向於無。一可云生二，二其可以生三乎？一伸而二，二屈而三，方伸忽屈，則三安得生萬物？故可曰函三而一，不得曰伸一而三。況可曰一生三，三生九乎？一生三，彼二者何自而來？三生九，彼六者何緣而集？求之雒書，一合九而相得，六與三分居左而不相合也。法象之無徵，生長之無端，而曰「始於一參於三」者，徇徑圍之虛測，非固有之實數；且暗用老氏之說，背君子之道矣。

乃九峯既以徑圍之數伸一而三之，伸三而九之矣，亦必固用其術而後成乎其說。何居乎又用大衍虛一分二之法，但減四揲爲三，以速獲而幾其當哉？

夫大衍之數，開方之實數也。一一而一，一固立，故一爲開方之母；二二而四，四固存，故四爲開方之準；四加一於中，而二二以補其缺，故三三得九，而九爲開方之進，一弱而無待於開。開方之術，始於二，成於四，進於九，則四變九而非三生九也。大衍之數五十者，十十之開方而用其半也。〈易陰陽十二位，但用其半。其一不用者，開方之母也。其用四十有九者，七七之開方也。揲之以四者，二二之開方也。過揲之四九、四七、四八、四六，歸奇之四三、四四、四五、四六，皆二二開方所有之實也。歸奇十三，亦掛一而爲十二，餘倣此。卦之六十四，八八之開方也。爻之三百八十四，二十二十之開方，而虛其四四也。四四爲開方之始，故虛之，猶大衍之虛一。則九九八十一之數，易固有之而未用。乃或以配律呂，或以紀曆法，則亦備其用於易，而不待於疇矣。

易以開方立，則統壹於開方。皇極以徑圍立，則當統壹於徑圍，而其筮也，蓍策亦五十，不可得三而圍之也。徑三七則圍六十六。虛一不用，亦用四十九，亦不可得而三圍之也。以徑圍立法，而中乖於徑圍，則既駁雜而不成章。又況歸奇有用，而過揲無足紀，爲棄其實而徇其餘哉？其尤疏者，兩偶之掛十三而謂之二，兩奇之掛七而謂之一，一奇一偶之掛十而謂之三。取法無徵，合數無準，奚當於函三之義哉？

卽徇九峯之旨，以掛扐之一爲贅疣，而其函三也，三四十二之多，覆得四五六之用，三三如九之少，覆得七八九之用，屈多以就少，伸少以使多，而大小忒矣。其爲一也，二可謂之一，五可謂之二，八可謂之三，則誣奇以爲偶，誣偶以爲奇，而陰陽亂矣。名皆杜撰，而事等兒嬉，藉此以興神物而前民用，期以取受如嚮之徵，是雞卜賢於元龜，揚雄聖於太昊矣。故曰不知而作也。

夫疇，人事也；筮，鬼謀也。人侵鬼而神不告，鬼治人而人喪其成能。假令九疇可以興神物之用，則明用稽疑，近取之洪範而已足，奚必五兆索卜，二占求筮也與哉？

九疇之則，雒書也。取象有位，推行有序，成章有合，相得有當。詳稗疏。今加以牽合附會之譏，滅裂而決棄之，乃刻桅膠柱，一其初一，而九其次九，徙於一九相函之際，虛設一八十一之數，借徑於揚雄，竊法於劉歆，三統曆法。得師於老子，託始於徑圍，中濫於開方，略密率之參差，就方田之疏算，裁多使少，亂偶以奇，限以歲時，迷其往復，似律而無半倍之用，似曆而無盈縮之差，固矣哉！九峯之爲數也！宜其不足以傳矣。雒書之遺畫猶存，洪範之明徵具在，學於聖人之道者，無輕作焉可也。

洪範二

五行者何？行之爲言也，用也。天之化，行乎人以陰隲下民，人資其用於天，而王者以行其政者也。

天之化，盡於五者乎？未然也。天之化，於五者統其同，於五者別其異乎？未然也。陰陽、寒暑、燥溼、生殺，其用不可紀極；動植融結，殊形異質，不可殫悉；固不盡於五者也。金亦土也，煉之而始成；火隱於木也，鑽之而始著；水凝爲冰，則堅等於金；木腐爲壤，則固均於土；不可別而異之也。極北堅冰而無水，大海渟流而無木，山之無金者萬而有金者一，火則無人之區固無有也，不可統天壤之間而同之也。

天之生物也、與其生人也，均之乎生。天之育物也、與其育人也，均之乎育。故物之待生待育於天之化，亦猶之人也。而其生其育，五者有不行焉，則亦不資之以用。魚不資乎土，蚓不資乎木，蠹魚不資乎水，凡爲鳥獸蟲魚者皆不資乎火與金，則五者之化不行於物，物亦不行焉。

夫物之以生以育，不悉用夫五者，則其才其情其性，亦不備五者之神矣。故五行者不可以區天之化，不可以統物之同。天惟行於人，人惟用以行，蓋人治之大者也。

其爲人治之大者何？以厚生也，以利用也，以正德也。夫人一日而生於天地之間，則未有能離五者以爲養者也，具五者而後其生也可厚；亦未有能舍五者而能有爲者也，具五者而後其用也可利。此較然爲人之所必用，而抑爲人之所獨用矣。

由其資以厚人之生，則取其精以養形，凝乎形而以成性者在是矣。成乎質者，才之所由生也；輔乎氣者，情之所由發也；充氣而生神者，性之所由定也。而有生之初，受於天者，其剛柔融結之神，受於父母者亦取精用物之化也。得其粹則正，不足於一而枵，有餘於一而溢，則不正。故王者節宣之，以贊天化而成人之性，是德之由以正者，此五者也。

由其資以利人之用，則因其材以敦乎質，飾其美以昭乎文，推廣其利以宣德，制用其機以建威，是禮、樂、刑、政之資也。而觀其所以昭著，察其所以流行，感其所以茂盛，審其所以靜凝，則考道者之效法存焉。而愼用之以宜則正，淫用之以逞、吝用之以私者則不正。故王者謹司之以宰制化理而立人之義，是德之所由正者，此五者也。故大禹之謨云：「六府惟修，穀卽土之稼穡。三事惟和」，而統括之曰「九功」。功者，人所有〔事〕於天之化，非徒任諸天也。

今夫五者之行於天下也：天子富有而弘用之，而匹夫亦與有焉；聖人宰制而善成之，而愚不肖亦有事焉；四海之廣，周徧而咸給焉，而一室之中亦不容缺也。胥天下而儲之曰府，人所致其修爲曰功，待之以應萬物萬事於不匱曰行，王者所以成庶績、養兆民曰疇。是則五行之爲範也，率人以奉天之化，敷天之化，以陰隲下民而協其居，其用誠洪矣哉！所以推爲九疇之初一，而務民義者之必先也。

然其爲義也，亦止此而已。善言天者，言人之天也；善言化者，言化之德也；善言數者，言事之數也。若夫比之擬之，推其顯者而隱之，舍其爲功爲效者而神之，略其眞體實用而以形似者強配而合之，此小儒之破道，小道之亂德，邪德之誣天，君子之所必黜也，王者之所必誅也。何居乎後世之言五行者，濫而入邪淫，莫之知拒也！

凡夫以形似配合而言天人之際者，未有非誣者。以元、亨、利、貞配木、火、金、水者似矣，而未盡然也。易之贊元曰：「萬物資始乃統天。」木其可爲金水之資，而天受其統乎？可云元之理發端於木，不可云木之德允合乎元。道有其可合，而合不可執。元於人爲仁，木之神亦爲仁，其可合者也。在天、在物、在人，三絫而固有不齊之道器，執一則罔於所通矣。

以貌、言、視、聽、思配五行，爲比擬之說以實之，似矣，而實不然也。欲爲之辭，奚患無辭哉？以貌配水而可有其說，以貌配木、火、金、土，未嘗不可有說也。似而似之，不必似而似之，於此不似而他求以似之，終不似而武斷以似之。以鑿智侮五行，則誣道以誣民，咎不容諉矣。

夫王者敬用五行，愼修五事，外敷大政，內謹獨修，交至以盡皇極之猷爲者各有其道，不偏重也。其憲者則天也，其學者則聖也，其取以爲善者人也。奚待鑒於水以飾貌，觀於火以謹言，取法於木以正視，折中於金以審聽，求於土而愼思哉？強其似以求配也，於五事之敬用也奚益？其不似也奚損？庸心於無足庸，口給而實無所效，我不知爲此說者之將以何爲邪？洵然，則九疇之敍，但一五行而已足，又何取餘八之繁言乎？故曰：「小言破道，小道亂德」，致遠必泥，君子之不爲久矣。

自是而往，邪說之侮五行者，無所不至矣。京房之以配卦氣也；屈乾於兌而金之，而天維裂；合震於巽而木之，〔而〕陽德衰也。醫者之以配五藏言生克也，是心、腎、肺、肝之日交戰於身中也。黃冠之以配神氣魂魄也，是無形之中而繁有充塞之質也。下此而星命言之，相術言之，日者葬師言之，無可爲名以惑天下，則挾五行以搖蕩人心於疑是疑非之際。

嗚呼！天所簡在而錫，禹所祗台而受，武王所齋沐而請，箕子所鄭重而陳，上帝之以行大用，而下民一日非此而不行者，乃以爲小人游食之口實。道之喪也，誰作之俑？則劉向父子實始倡之，而蔡神與祖孫三世之習而溺焉，咎將奚諉？其他技術之流，又不可勝誅者矣。

聖人之言，言彝倫之敍也，所謂務民之義也。修火政，導水利，育林木，制五金，勤稼穡，以味養民，以材利民，養道遂，庶事成，而入以事父，出以事君，友於兄弟，刑於妻子，惠於朋友者，德以正焉。因天之化，成人之能，皆五行之用也。「初一曰五行」，義盡於此矣。言五行者，繹其旨，修其事，辨義利，酌質文，惟日孜孜而不足，奚暇及於小慧之紜紜！

洪範三

人之體惟性，人之用惟才。性無有不善，爲不善者非才，故曰，人無有不善。道則善矣，器則善矣。性者道之體，才者道之用，形者性之凝，色者才之撰也。故曰，湯、武身之也，謂即身而道在也。道惡乎察？察於天地。性惡乎著？著於形色。有形斯以謂之身，形無有不善，身無有不善，故湯、武身之而以聖。假形而有不善焉，湯、武乃遺其精用其粗者，豈弗憂其駁雜而違天命之純哉？是故貌曰恭，舉貌而已誠乎恭矣；言曰從，舉言而已誠乎從矣；視曰明，舉視而已誠乎明矣；聽曰聰，舉聽而已誠乎聰矣；思曰睿，舉思而已誠乎睿矣。誠也者實也，實有之固有之也，無有弗然，而非他有耀也。若夫水之固潤固下，火之固炎固上也，無所待而然，無不然者以相雜，盡其所可致，而莫之能禦也。

夫人之有是形矣，其虛也靈，則既別乎草木矣；其成質也充美而調以均，則既別乎禽獸矣。體具而可飾其貌，口具而可宣其言，目具而可視夫色，耳具而可聽夫聲，心具而可思夫事，非夫擢枝布葉，植立靡生之弗能爲牖矣。是貌、言、視、聽、思者，恭、從、明、聰、睿之實也。

戴圓履方，彊固委蛇之足以周旋，非夫跂跂彊彊，迅飛奔突之無其度矣。齒徵脣商，張淸翕濁之足以達誠，非夫呦呦闟闟，哀鳴狂嗥之無其理矣。白黑貞明，麗景含光之足以審別，非夫從眶上瞼，夜視晝昏之冥蒙錯愕，瞀乎物矣。重郛曲竅，屆遠通微之足以辨聲，非夫輭朵下垂，茸穴淺闊之忽驚忽喜，迷所從矣。四應乎官曲，記持乎今昔之足以慮善，非夫乍辨旋惛，見咫忘尋之安忽憒盈，貪前失後矣。

是恭、從、明、聽、睿者，人之形器誠然也。

是故以澤其貌，非待冠冕以表尊也，手恭足重、坐尸立齊之至便矣；以擇其言，非待榮華以動衆也，大小稱名、逆順因事之至便矣；以達其明，非待苛察於幽隱也，鑒貌辨色、循直審曲之至便矣；以致其聰，非待潛審於纖曲也，法巽乘容、忠佞有別之至便矣；以極其睿，非待馳神象外、巧揣物情之爲慧也，因物以格、卽理以窮之至便矣。故曰天地之生，人爲貴。性焉安焉者，踐其形而已矣；執焉復焉者，盡其才而已矣。踐焉者無有喻之也，盡焉者惟其逮之也。

嗚呼！貌則固恭，不恭者非人之貌乎？言則固從，不從者非人之言乎？視則固明，不明者非人之視乎？聽則固聰，不聰者非人之聽乎？思則固睿，不睿者非人之思乎？然而且有媟貌而莠言者，則氣化於物也。氣化於物，而動不因其由動，言不因其由言；是故土木其形，炙輠其辨，退而循之，莫能明其所自出，其自出者之固恭、固從，未之有與矣。然而且有視眩而聽熒者，則物奪其鑒也。物奪其鑒，而方視有蔽其明，方聽有蔽其聰；是故貪看鳥而錯應人，弓成蛇而市有虎，官雖固存，不能使效其職，其職之固明、固聰，實惟其曠矣。然而且有「朋從爾思」而之於妄者，則牿其心而亡之也。牿心而亡之，而放不知所求，隱不能爲著；是故下愚迷復於十年，異端困據於幽谷，背而馳焉，靦面而喪其所存，所存者之固未亡，初不相謀矣。才之未盡，見異而遷焉，反求之而罔測所自起焉，故曰：「爲不善者，非才之罪也。」

且夫貌之不恭，豈遂登高而棄衣？言之不從，豈遂名父而叱君？視之不明，豈遂黑狐而赤烏？聽之不聽，豈遂惡歌而喜哭？思之不睿，豈遂義蹠而仁魋？極之宋萬、商臣，必有辭焉以爲之名，而後自欺以欺世。楊不能以待臣之貌加其君，墨不能以責子之言讎其父。然則惟有人之形也，則有人之性也，雖牿亡之餘，猶是人也，人固無有不善而夙異乎草木禽獸者也。故於恭、從、明、聰、睿而謂之曰，言其生而自然也；於肅、乂、哲、謀、聖乃謂之作，勸以進而加功也。洪範之立誠以修辭，審矣哉！

嗚呼！夫人將以求盡天下之物理，而七尺之軀自有之而自知之者，何其鮮也！老氏曰：「吾有大患，惟吾有身。」莊生曰：「形可使如槁木，心可使如死灰。」釋氏曰：「色見，聲音求，是人行邪道」，夫且讎之以爲「六賊」，夫且憎之以爲「不淨」，夫且詬之以「臭皮囊」。嗚呼！曉風殘月，幽谷平野，光爲燐而腐爲壤者，此則「衆妙之門」，「天鈞之休」，「清淨法身」，「大圓智鏡」而已矣。其狂不可瘳，其愚不可瘳矣！

然則孟子之以耳目爲小體，何也？曰：從其合而言之，則異者小大也，同者體也。從其分而言之，則本大而末小，合大而分小之謂也。本攝乎末，分承乎合，故耳目之於心，非截然而有小大之殊。如其截然而小者有界，如其截然而大者有畛，是一人而有二體。當其合而從本，則名之心官，於其分而趨末，則名之耳目之官。官有主輔，體無疆畔。是故心者卽目之內景，耳之內牖，貌之內鏡，言之內鑰也。合其所分，斯以謂之合。末之所會，斯以謂之本。雒書右肩之數四，而敍其事五。詳稗疏。蓋貌、言、視、聽，分以成官，而思爲君，會通乎四事以行其典禮。非別有獨露之靈光，迥脫根塵，泯形聲、離言動而爲恍惚杳冥之精也。

合之則大，分之則小，在本固大，逐末則小。故耳目之小，小以其官而不小以其事。耳以聽而作謀，目以明而作哲者，惟思與爲體。孟子固未之小也。思而得，則小者大，不思而蔽，則大者小。恭、從、明、聰，沛然效能者大；視、聽、言、動，率爾任器者小。孟子之所謂「小體」，釋氏之「性境現量」也。孟子之所謂「大體」，釋氏之「帶質比量」也。貴現賤比，滅質立性，從其小體爲小人，釋氏當之矣。若孟子之言，則與洪範之敍脗合而無間。

洪範四

嘗以雒書之位與數，參觀乎洪範，知元后相協下民之道，至約而統詳，至微而統著也。約以統詳，微以統著，故曰極也，至於此而後得其會歸之樞也。

夫以位，則居幽者微而明者著，履一於北，幽以治明也。夫以數，則約四十有四於一，而以一臨四十有四之詳，所履者一，約以治詳也。以是知一之爲極，而前之釋者以五當之，無當於象，無當於數，訓詁之泥也。

夫中五者居龜脊隆起之位，天之陰騭（隲，陽之用也。）所以起元后之功用，粲然環列爲北水、南火、東木、西金、中土之法象，安能消歸其已有而一之乎？

今夫元后之理兆民，其協民居者八政是已，攸敍彝倫者五事是已。當其詳以敷政，不可略也。八政以備舉其法，而協者罔弗協。然而君弗能尸也，三官百尹畢盡其猷爲，乃協也。抑其修之於身，必克慤夫五事，以謹司其原，敍者罔弗敍，然而爲功也密，不能必天下之遵也。元后自嚴其視履者也。故八政必有所自舉，有所自廢；五事必有所自貞，有所自淫。天子之得失，兆民之善惡，聖人之所劼毖而不遑，愚不肖之可興起而不倦，藏之於幽，守之於約，一而已矣。所建者，於此中也，於此和也；所錫者，靡弗迪也，靡弗惠也。居於幽以靜之域，而操其約以嚴之幾，位乎北，會於一。雒書之示人顯矣，禹、箕之擇善精矣，豈有能易此者哉？極則無可耦矣，居幽而握要，極乃立矣。皇則極乎大矣，治著而領詳，極乃皇矣。

雖然，言極者尤不可不審也。異端之言：曰「抱一」，曰「見獨」，曰「止水之淵」，曰「玄牝之門」，皆言幽也，皆言約也。而藏於幽者不可以著，執其一者不可以詳。芒然於己而罔所建，將以愚民而罔所錫，彼亦以此爲極而祗以亂天下，故曰尤不可不審也。

夫聖人之所履一於幽，以嚮明而治天下者，其所會歸，好惡而已矣。好惡者，性之情也。元后之獨也，庶民之共也，異端之所欲泯忘而任其判渙者也。聖人之好惡安於道，賢人之好惡依於德，才人之好惡因乎功，智人之好惡生乎名，愚不肖之好惡移於習。八政之舉，惟好斯舉；八政之廢，惟惡斯廢；五事之效其貞，惟好斯勉；五事之戒其淫，惟惡斯懲。好之興，而惻隱、恭敬生於兆民之心，以成仁讓；惡之興，而羞惡、是非著於兆民之心，以遠邪辟。其動也，發於潛而從違卒不可禦；其審也，成乎志而禍福所不能移。是獨體也，是誠之幾也，故允矣爲極所自建也。

然而體則獨矣，誠則但見乎幾矣。而八方風氣之殊，兆民情志之賾，忽一旦而好之，蔑不好也，一旦而惡之，蔑不惡也。自細腰高髻之纖鄙，訖崇齒尚德之休嘉，羣萬有不齊之好，羣萬有不齊之惡，不知其所以必好，不知其所以必惡，翕然沛然，奔趨恐後，以爭歸於一。則此一者：節宣陰陽，可以善五行之用；周流六方，可以成庶疇之功；類應天休，可以承五福六極之勸威。九與一應，戴之在上，故曰應天。皇哉！極哉！一好惡而天下之志通，天下之務成，不行而至，不疾而速。

或曰：夫既統於一，而好惡者兩端也，不相雜者也，何云一也？曰：兩端者，究其委之辭也；一者，泝其源之辭也。非所好，則惡矣，是本無惡，而以其所不好者爲惡也，其源一也。物固有非所好而不必惡者。然習而安以忘者，好之(速)〔夙〕也，厭而不必遠者，亦惟其勿好也，故曰一也。

或曰：五事之思，視、聽、貌、言之君也，亦以約察乎詳，以微治乎著，何居乎寄四事之中，五事之位在右肩四。而不可統道以爲極？曰：思亦受成於好惡者也。非其所好，不思得也；非其所惡，不思去也。好惡者，初幾也；思者，引伸其好惡以求遂者也。好惡生思，而不待思以生。是好惡爲萬化之源，故曰極也。

且夫元后之思，庶民思之則祗以亂；聖人之思，愚不肖思之則無所從。惟好惡者可率天下以同遵者也。悅生惡死，喜逸怨勞，王者必與兆民同，而好善惡惡，兆民固與王者有同情也。皇哉好惡乎！人而無好，則居不就其所協，勿論彝倫之敍矣。人而無惡，則居且安於不協，勿論彝倫之斁矣。性資情以盡，情作才以興，緘之也密，充之也大，聖功之鑰，聖治之樞也。彼異端者，抑之遏之，縱之泆之，而終不能也，祗以斁其彝倫，而逆天以誣民，罪浮於鯀矣。故曰：「尤不可不審也。」

旅獒

老子曰：「輕爲重根，靜爲躁君。」惟其然也，故樂觀物之「妙徼」，而聊與玩之。以輕爲根，以靜爲君，其動以弱，其致以柔，以銳入捷出之微明，抵物之虛而游焉，良可玩也。

夫人之有志，心之所之，皆可之焉。有時迥出官骸，不與物爲緣，則足以於朋從之中邀其「妙徼」，而惟志之所適。彼所知者，此而已矣。若夫至理所麗，充周融結，治朋從而安以其土，極乎謹嚴而無可玩，則非「妙徼」之可樂觀；與游以喪其志者，彼固未之知也。

夫彼亦戒耳目之役而欲迥出之矣，故曰：「爲腹不爲目。」爲目者，黏滯乎物而與物玩者也。玩物而物亦玩之，玩人而人亦玩之。利欲之細人，爲天下所玩，皆爲目之蔽也。能不爲目，物亦無得而玩之矣。

雖然天下之交相玩也，寧有已哉？以耳玩，黏滯乎聲而聲玩耳；以目玩，黏滯乎色而色玩目，固玩也。以心玩者，黏滯乎虛而虛亦玩心，豈非玩哉？選乎己而任心，斯己貴矣；選乎物而得虛，斯己輕矣。所以玩者貴，則悅諸己者適，與爲玩者輕，則攖物之害也淺。固且曰「吾與天遊」，「與物化」，「泠然御風」，「窅然而喪天下」，吾乃不自喪也。然其相與玩而敗其度，則與細人之流蕩聲色以不知歸者，異趨而同迷。

有玩之之心，則喪彼之理；交相玩而受其玩，則己喪其貞。今者「吾喪我」，物相代於前而不知，是游其精魄變動於天壤而莫適主。無他，樂觀「妙徼」，銳入捷出者，惟其志之不寧也。志之不寧者，必有所求助，以自據爲安，不爲目而恍惚以無寧宇，於是據其爲腹者以爲實，專氣以實其腹，而助志以求寧者也。

夫志者氣之帥，氣者志之役。今乃倒權下授，恃氣以自實，塊然處錞以拒物，而竊窺其消息之機以爲妙。舍夷道之馳驅，就荆榛以索徑，彼亦勞矣。而僅以争得失於利欲之細人，五十步之笑百步，庸愈哉？

觀於旅獒而知君子之道至矣，視彼其猶爝火矣。夫君子不聽役於耳目以貪細人之得，彼之所同也。不營營於耳目以逭近刑之憂，終亦不喪其耳目，目自爲目而卽目以求貞，則彼之所憚爲者也。夫君子不黏滯乎物而任志之喪，彼之所同也。不馭志以無知之腹與無主之氣而授之以寧，則彼之所未能與知也。故曰彼猶爝火也。

寧志者道也，復禮以克己也；貞耳目者度也，存誠以閑邪也。君子之治天下與其治一身，一而已矣。任大臣者不奬其儇利，持志者不用其輕弱，任百工者不詘其事功，踐耳目者不墮其聰明。蓋精義而用無不利，健行而物無能奪也。

故道也者，載乎物者也；志也者，治乎物者也。應於彼，應於此，終日百應，物皆載道，而以其貞者從吾之志；則不待逃虛擇輕，處錞居静，而黏滯已無得而卷之、無得而轉之矣。道也者，成乎物者也；耳目也者，取舍乎物者也。合則取，離則舍，迎目徹耳而不爽其度，則物稱其志。物稱其志，則中正而從矩，不待息機塞兑、以戒動止躁，而物受成於耳目，耳目受成於志矣。古之君子，「聰明睿知，神武而不殺」，用是也夫！

夫君子之言，亦有與彼近者。德盛而不狎侮，「不爲天下先」之謂也；不作無益，不貴異物，「儉」之謂也。儉不先人，老氏寶之矣。而其寶之也，實玩之也。以恭儉狎侮天下而徼其利，流同源別，而貞邪迥異。故曰彼猶燔火也。

耳目無以爲貞，而息機塞兑以免於役，如障水逆流，一旦潰下而不可止。志不得所貞，而逃虛擇輕以利其妙，如鷙鳥跼足以求遂所搏。其用意也巧，其持術也險，其居勢也危，其機一發而天下無能避其鋒。輕也乃以重，靜也乃以躁，豈直大德之累哉？矜細行也，正其所以賊大德也。揆諸先王格遠安邇之至仁大義，又奚但燔火之於日月哉？

皇哉，道之不可離也！天以降衷，而人秉之以爲心，故志宅之以寧。乾坤以爲緼，而變合以恆，故氣配之以不餒。民物皆載之以爲度，故物皆德而德以爲物。重以持之而無所玩，動以之貞而無所喪，誠存則邪自閑，禮復則己無不克，是以君子之道有本而不匱者也，非若異端之爭於其末也。

尙書引義卷五

大誥

公羊子曰：「君子辟內難，不辟外難。」君子奉其身以處夫安危存亡之際，其由此者權也。將貴其生，生非不可貴也；將舍其生，生非不可舍也。將遠其名，名亦不可辱也；將全其名，名固不可沽也。生以載義，生可貴；義以立生，生可舍。名以成實，名不可辱；實以主名，名不可沽。雖然，較計籌量於利害之交，而僥得僥失之無定矣。審輕重之衡，達動吉之幾，其惟周公乎！故「君子辟內難不辟外難」，爲周公言之也。

奚以明其然也？大誥曰：「天惟喪殷，若穡夫，予曷敢不終朕畝！」不辟外難之謂也。紂於武王，君也。周公於殷，非臣也。君臣義絕，故曰外也。武王勝殷以受大命，外事也。周公殄殷以紓王室，內事也。事在內，難在外，則執詞稱戈，虔劉之以無遺種，忠厚之名有所不得而惜矣。何也？周公之忠厚者道在周而不在殷。夫既不惜其名，則亦不貴其生。不惜其名，故泰誓之稱天比德而以爭其名者，大誥無所爭於曲直，而誓以必往。不貴其生，則「十夫翼予」，「卜陳並吉」而必往。藉其不然，亦不憚肝腦之塗地，以決存亡於一旦也。故曰不辟外難也。名之弗辟，而況於生乎？

若夫二叔之流言，其逆亦易辨也。沖人雖幼，所任用者獨開國同心之士，非有若上官桀之懷逆幸亂；二公在位所共喻者，固曁女共濟之心，非有若蕭至忠之背公死黨也。藉令周公歛心腎肺腸以誕告二公，控沖人，扶百尹，正流言之罪，先發以制三監，成王不能立異以蔽姦，望、奭亦且同心以致辟，則殷孽之蠢，無藉以興，郭鄰之罰，亦可以未成而從末減。然而周公不此之務，則辟內難之說也。何也？名以有實者也。以弟伐兄，以臣挾主，名之不順者也。生以載義者也。禍中於君，則生無可貴；禍中於己，而舍進退有餘之身，履凶蹈危以庶幾於必克，則是襲義以輕生也。一日之實，萬世之名，實輕而名重矣。辟以遠害，與弗辟以爭利，動之微而吉凶判矣。度理以安心，潔身以寡悔，未有如辟之善者也。於是決策引身，居東以辟之，斯以爲內難之宜辟者也。

雖然，辟內難者，公之獨也。公羊子乃以例季友之奔陳，則非也。公之內難，於公而發者也。友之內難，不於友而發者也。難發於公而弗辟，則罪人有挾以內焚，愚賤府疑而不解。萬一不幸而有若袁盎者捭闔於沖人之左，則身殞而國危。尤不幸而有袁紹、韓馥之流以擁劉虞者加諸公，則展轉於狂狡之手，而益無以自安。出乎聖，入乎狂，君子不狎勢之未然，而過信其無憂，以蹈猝然之禍。龍亢而无悔，盤桓而居貞，則隳實以全名，使二叔無可託之兵端，而王室之受毀亦小矣。若季友以年少望輕，廁二凶之末位，非有若孔父之見憚於華督也。彼二凶者，亦不託友以啓釁，若陳氏之於高國也。使淹留覩變，垂涕以告莊公而早爲之備，正色以矢同朝而漸削其權，將弑械不成而誅戮亦息，是固友慷慨捐生，毁家報國之一日也。生非必舍，徒深畏死之心；名亦無嫌，乃幸中立之免。嗚呼！友之去，其有低回洈濦而弗克自主者乎！公居東而罪人之情以得，則轉託於小腆之紀敍，故天下益知其誣。友奔陳而仲叔之黨益崇，則假手於僕圉之賤臣，乃君父兩逢其禍。且公之辟，尙父以爲師，君奭以爲保，何有於毁室之禽心？藉公返國無期，而奠宗周於衽席者規模已夙，則公自可輕西顧之憂。友之出也，陳非可託之援，魯無可任之人，慶父之小醜乃敢以一世一及昌言於危病之日，是君側空而季謀不夙，從可知已。故友惟不終辟也。使友而終辟也，外則邾莒爲之援，內則哀姜爲之主，公子申之不死而不竄也，其餘幾哉！故曰辟內難，公之獨也，非友之所得例也。

嗚呼！名與實非有異也，生與義不兩重也。順天理，協民彝，自非若公，蓋無可辟者焉。故曰，食焉不辟其難，義也，無所間於內外也。聖達節，賢守節，不肖者毁節。劉隗走羯胡以偷生，庾亮匿草間而泥首，留正棄相印而潛出，陳宜中託失風以居夷，不審內外之殊，一於辟而忘恥，不亦赧乎！忠孝之際，死生之界，古不可援，迹不可踐，亦喻諸心而已矣。

康誥

誥曰：「往盡乃心。」盡云者，極其才也。又曰：「宅心知訓。」宅心云者，定其性也。又曰：「康乃心。」康云者，應其情也。

心者，函性、情、才而統言之也。才不易循乎道，必貞其性。性之不存，無有能極其才者也。性隱而無從以貞，必綏其情。情之已蕩，未有能定其性者也。情者安危之樞，情安之而性乃不遷。故天下之學道者，蔑不以安心爲要也。

抑天下之言道者，蔑不以安心爲敎也，而本與末則大辨存焉。今將從其大本而求安乎？抑將從其已末而求安乎？夫苟從其已末而求安，則飢渴之害，愛憎之横流，莫匪心也。導其欲，遂其私，亦泰然而蔑不安已。然有得而乍快於意，良久而必惡於志，苟其牿亡之未盡者，自不以之爲安。然而求安其心者，緣心有固康之則，如激水上而俄頃必下，其性然，故其情然，本所不親，非末所得而强。故即在異端，不能誣不安以爲安。是以天下之言道者，無不以安心爲事也。

然從其本而求之，本固不易見也。本者非末也，而非離末之即本也。已離於末，未至於本，非無其時也，非無其境也。離於末不可謂末，不可謂末，則或將謂之爲本。乃離於已末也，離於已末，猶其末矣。猶其末，則固然未至於本也。未至於本，其得謂之本乎？

心者不安於末，離於末則離其不安者矣。其爲時也，魚之初脫於鉤也；其爲境也，繫者之乍釋於圜土也。夫魚則有淵矣，繫者則有家矣，固未能至也。然而脫於鉤而吻失其罥，釋於圜土而手足去其桎梏，則亦攸然而自適。故異端之求安其心者，至此而嚻然其自大也。是以神光謁其師以安心，而以覓心不得者爲安焉。

脫於鉤，未至於淵；乍釋於圜土，未反其家；兩不得焉。蕭散容與，徜徉而見心之康，良自慰矣。乃怙俄頃之輕安，而弗能奠其宅、盡其職也。桃花無再見之期，石火無棲泊之地，停目已非，隨流已汎，危莫危於此焉，奚有於康哉！故曰「人心惟危」，非但已末之謂也，離末而未至於本之謂也。

乃若其本，則固有之，而彼末之知耳。本者何也？天下之大本也。心之爲天下本者有三，三者貫於一，而體用之差等固不可泯也；誠也，幾也，神也。幾則有善惡矣，而非但免於惡之卽善，則幾固不可遏而息也。神則不測矣，於此於彼而皆神，是人之天，非天之以命人而爲其宅者也。故幾者受裁於誠，而神者依誠以凝於人者也。

從其幾而求康與？是未至於本而亟離其末也。其視情也如仇讎，而視才也爲稂秕。乃忽一念焉反而自問，則必有大愧焉者，是以不安爲安也。性隱而莫著，其端在情，而亟遏之，則才充而受詘者，無望其心之盡矣。

擬乎神而求康與？是本末兩捐而以無本者爲本也。若有情焉，而莫得其情；以爲才之大也，而數困於小；夫抑奚據以安哉？情汎寓而莫得其宅，才揮斥於無涯而實一之未盡也。故求心不得而絕之，求心不得而以不得者爲得，胥曰吾以康吾心。君子視之，殆哉岌岌乎矣。

夫君子之以康乃心者，誠而已矣。誠而後洵爲天下之大本也，故曰志以道寧。誠與道，異名而同實者也。修道以存誠，而誠固天人之道也。奚以明其然邪？

今夫道：古由之，今亦由之；己安之，人亦安之，歷古今人己而無異者，惟其實有之也。施之一室而宜，推之一國而準，推之天下而無不得，槪遠邇逆順而無不容者，惟其實有然也。

故有理於此，求之於心而不得，求之於所聞而得矣，求之於所習而得矣，求之於所篤信而博推者而愈得矣。心雖未得，而求以得者心也，情之摯也；所得者非所聞、所習而適得我心也，性之安宅也。由是而用之不窮焉，盡其才矣。故易曰：「學以聚之、問以辨之。」而誥曰：「敷求哲王」，學也；「遠惟耇成」，問也。古今之心，印於心而合符，而天下之相齟齬者，恬然已應之，康乃心矣。心斯宅矣，心斯盡矣，徜徉無定之情，有實以爲之依，是亦魚之康於淵也已矣。

今有所感於此，求之心則不得人之心，求之人則不得已之心。以心得心，而人之情得矣。人得其心，而已之心亦得矣。惟不隘其心之量，錮之於私，不逆其心之幾，姑爲之忍，則天下之順者、逆者、同者、異者，以心函之而不相爲侮。此非違其心以強受也。心固無不可受，而安其土者仁斯敦也。物誠有其情，我誠有其才，無可憂也，無可斁也。故易曰：「寬以居之，仁以行之。」而誥曰：「若畢棄疾」，仁也；「若保赤子」，寬也。天下皆吾赤子，而疾畢棄，康乃心矣。以大宅載天下，而才之盡者無不裕矣。陋束自困之情，有實理以擴充之，是亦釋於桎梏而寧於其家也已矣。

蓋寬者道之量所自弘，仁者道之生所自順，學問者道之散見所自察。誠有之，誠宅之，誠盡之，各體其實而無搖蕩拘迫之憂，故曰志以道寧。君子之以康其心者此矣。此之謂立天下之本也。惟然，而奚假禁抑之於末哉？

末之不勝禁抑，久矣。枝葉之紛披也：霜隕之，春復榮之；斧斤伐之，萌蘖復生之。乍釋而康者，終身憂疑而不勝。無他，未尋其本也。良賈挾千金而不憂其不讎，(民)〔良〕農儲陳粟而不患乎無年，夢寢安焉，惟所欲爲而不歉焉，有本故也。本有者誠也。古之明王，馭六宇，長兆民，靖多難，而其心泰然。至哉康乎！非彼亟離於末而忘其本者所可幾幸，久矣。故誥曰「康乃心」，養心之極致也。夫君子亦慎擇其所以安心者而已矣。

酒誥梓材

承治者因之，承亂者革之，一定之論也。雖然，有病。所病者以愔愔之情繼治而偷，以悻悻之心懲亂而詖也。何也？聖人之仁天下也無已，而不能不有待焉。故以一日之治概之百年，而初終異理，必有以節宣焉。身可待，待之他日，身不可待，待之他人，而後各隨時而協於中。

愔愔者曰：已治矣，毋庸革矣，而治者適以亂矣。暴君之賊天下也，不自一身而止，天下且化而相賊矣。上賊其下，下亦賊其上，上下交相賊，而暴君之所殘殺亦有所不容已。悻悻者曰：上之賊下如此其毒也，革其道惟恐不速，而亂又承所革者而起矣。

明王之創制顯庸，審乎此，而天下蒙其安。舜之承堯，禹之承舜也，承治之極也，故曰「重華協於帝」。協云者，同而無乎異也。「率百官若帝之初」。若云者，順而無或逆也。然而舜、禹之善承之也，不愔愔然一因其故而偷以安也。舜甫受終而四凶誅，二十二人升，異以求同也。禹方陟后而幷十二州以九，易與賢以與子，逆以得順也。夫乃以協以若而不忒。

商之革夏，周之革殷，承亂者也。故曰「爰革夏正」。革者，無所因也。「乃反商政」。反者，無所仍也。然而湯、武未嘗疾勝國如仇讎，芟除其遺法而惟恐不盡，貿百姓眉睫之喜，奪之烈火而飲之冰，出之寒泉而附之鑪也。則何也？承極重之勢，非一朝之可挽也。

故夫紂之失民心者，民好生而死之，民生託於寬政而臨之以猛也，威殫刑淫而天下之心以失。夫然，將欲蕩滌煩冤，肉其已白之骨而與之更始，必且置刑殺於不試，乃以嫗孚天下而使即於康。乃命康叔以保彼東郊，育其僅存之孑黎而誥之曰：「刑茲無赦，速由茲義率殺」；又曰：「盡執拘以歸於周，予其殺」；又曰：「肆往姦宄殺人歷人宥，肆亦見〔厥〕君事，戕敗人宥」，「曷以引養引恬」，解詳稗疏。嗚呼！聖人豈忍於毒痛之餘民哉？抑知脫烈火而引之冰，喝乃速斃；出寒泉而附之鑪，肌以急裂也。

善醫者有正治，有反治，有從治。徐燮其陰陽燥潤之宜而導之和，非但抑火以梔、芩，溫寒以薑、桂也。明王之善用其因革者，豈有一定之成法哉？利災以見德者，賈豎居贏之術也。富有天下而賈豎，則賈豎矣。矯枉而居功者，里胥搏姦之能也。貴爲天子而里胥，則里胥矣。明王居崇高以配天理民，建百世之治，承治不委，承亂不激，日移斗傾而極星不動，烈日涷雨而青霄不改，天所不易，道莫之與易也。

若漢高之革秦也，約法三章，秦民懷之矣。而終治天下者，酇侯之法，五刑具焉。使率三章之簡，以縱民之怙亂，一再傳而亂民競起，必且淫刑以救其弊，則前之悻悻革秦，利災以見德者，罔民而陷之辟矣。反極重以極輕，必反極輕以趨於重。然後知武王止殺之心，一日而慮及百年，咫尺以周知萬里。無他，操大常而不驚喜怒以爲因革也。

愚哉！弱宋之承五季也。天下則已如彼矣，石晉之割地未歸，亟撤兵權以弭陳橋之覆軌，是懼舟之欹重於左，而盡移載於西以取沈也。百官之因循未飭，而數醲賞以懲趙村之已禍，是張毅鑒單豹之死而適以自亡也。威輕則賊義，恩濫則賊仁。求苟異於昏狂，而自趨於積靡，卒至汴京、海上，拱手以授中夏於戎狄，而至今爲梗。嗚呼！亦憯矣哉！

故曰：「君子如怒，亂庶遄沮；君子如祉，亂庶遄已。」一怒一祉之間，括九州，壹萬民，傳子孫，俟後聖，堯、舜有所不因，桀、紂有所不革，「會其有極，歸其有極」，顧不大與！五帝、三王、十四代之得失，類可知也。堯、舜有所不必因，桀、紂有所不可革也。

召誥

論周公之營雒者，或曰：有德易以興，無德易以亡，公欲警子孫使修德，而示天下爲公器，有德者易以代興；或曰：負大行，面商雒，左成皋，右函谷，襟大河，帶雒水，實天下之奥區也；或曰：東西並建，成輔車之勢，以豫定民志，故平王因之弱而不亡，延及赧王，曆過其卜。之三説者，或迂闊而不情，或夸妄而不實，或過慮而無當；以一切之小慧，測元聖之訏謨，後世之以鑿智誣古人，若此類者衆矣。

夫欲警子孫之修德，而寘之易亡之地，是戒溺而姑試之於淵也。將公天下而授以易取之形，是寘筍金於通衢而召貪夫之爭也。迂闊而無中於理，適以貽英雄之訕笑，故後世無踵其術以啓亂者。然而非聖無法之子，因此以譏王道之疏，儒之所以阬於秦而不昌於漢也。

兩山之間必有水焉，兩水之間必有山焉。千里而不得水，千里而不得山者，鮮矣。太昊都陳，炎帝都魯，陳、魯無山水之固，而羲、農以興。五代、北宋都汴，六朝都建業，餘於水，儉於山，亦可保於百年之餘。陳亮不以君昏臣竄爲宋憂，徒憂錢唐之可灌；卒之，潮水不至臯亭，而宋亡非灌也。斯不亦早計無庸之明券與！廣衍足以立市朝，大川足以流薉惡，周塞足以禁草竊，肥沃足以豐樹蓺，土厚水深足以遠疾眚，則其襟帶左右，自足以成形勢而愜心目，非待青(鳥)〔烏〕之妖祕，乞靈於卷山勺水間也。且夫梁、益據隴、劍以爲山，荆、揚擁江、海以爲水，而隗囂、李特、公孫述、楊難敵、譙縱、王衍、孟昶、明玉珍、劉表、梁元、李煜、張士誠，或於身而亡，或一再傳而滅。曾是三塗嶽鄙，遂足以延八百年之緒哉？易曰：「王公設險以守其國。」設者，城郭溝池之謂也，非夫左盼右睞，分沙取龍，就山而踞之，卽水而盤之之爲固也。蔿賈曰：「我能往，寇亦能往。」山可梯，人得而梯之；水可航，人得而航之。山莫險於岷、黎，水莫險於瓊、崖，有能據之以興者乎？安邑之斥鹵，兩河之沙湍，夏、商之裔，保舊物以配天者，此土也。藉令周公挾管輅、郭璞、蔡伯靖之術，翺翔天下，睨奧區而據之，斯亦陋矣。術士之小慧，移於經國而大道隱，故曰夸妄而不實也。

召公曰：「我不敢知，曰：惟有歷年」，「我不敢知，曰：不其延」。君子之於天命，無之焉而不敬也。強與知之，強與圖之，干天之權以取必，不敬之尤矣。且夫強與知之，則有弗知者矣。強與圖之，則有莫圖者矣。可知者先世之功德，可以丕若。夏而勿替，殷則可圖者，「知我初服」也。若夫犬戎之亂，郟鄏之遷，逆計於數百年之前而爲之所，是周公之智儷於桑道茂而愚於李泌矣。後世踵之而兩都並建，別宮棊布，以疲百姓而走羣工，隋煬以之客死，唐玄以之出走。廣置官司則食宂而吏雜，分立郊廟則禮煩而神黷。徒崇侈於苟安之日，不救禍於垂危之年。東漢不廢西京，董卓遷而速滅。女直南修汴京，高琪遁而遽亡。若晉之石頭，唐之靈武，宋之臨安，以僅保其如綫之祚者，初未嘗於無事之日一繕治其郛也。而唐之太原暨河南，宋之應天、大名暨河南，城隍具完，宮闕具治，米粟甲兵具備，迨其離析分崩，莫得一日而措足焉。然則前之揣天畫地，糜縣官而役閭左者，果安用乎？強與知之，強與圖之，其大概亦可睹矣。周之遷也，王迹息而下夷於侯，乃拱手而讓宗周於他族。則周之僅以存者，雒邑爲息肩之地，而其寖以亡者，雒邑實爲處堂之嬉。其寖以卽亡也，營雒之始不任其咎；其僅以存者，營雒之始亦不任其功。功過不保之地，君子所不敢知。若夫揣時度勢，爲不然之慮，狎侮天命，而自神其術，天所弗佑久矣。故曰過慮而無當也。

然則公之營雒者，何也？曰：聖人之會人物也以經，通古今也以權。其以宰制天下也，惟此而已矣。

夫周公則已曰：「日至之景，尺有五寸，謂之地中」；天地之所合也，四時之所交也，風雨之所會也，陰陽之所和也，百物以阜，道里以均，斯足以爲王者之都矣，此所謂經也。

有虞氏五載一巡守，諸侯各朝於方嶽，地邇政簡而不勞也。迨周地辟於古而文治益繁，故展時巡以十有二年，而制五服以六年之述職。及其後且猶不給，則巡守間舉於東都，而虞制盡〔變〕矣。然六年之朝，盡山東濱海、荆南踰塞之國，越函谷以旅見於鎬京，則侯氏亟承其敝。雒邑營，而太保以庶邦冢君之幣贄，紹公以錫王，蓋五服之享，自是而不戾於宗周者有矣。涖中嶽以罷四嶽之巡，通侯幣以節來王之勞，此公之權也。

遠則攜，近則親者，人之恆情也。天子之光，人之所樂近也。東郊之民心尙搖搖而未定，西望而狐疑，曰：「天子其邊徼我乎！」惟正天邑之名於雒邑，而惠此讎民，服在王廷者，無疏遠之嫌，夫乃思媚而危疑允釋。義以糾之，仁以聯之，丕誠殷民而作之新者，又在斯矣。此又公之權也。

權以通古今之勢，經以會民物之情。公所爲迓無疆之休者，惟此而已矣。過此以往者，未之或知也。公亦安用知之哉？闕其所不可知，而盡所可爲，可以正告天人，而馭天下以道矣。過高之論，適足以亂德；權術之說，徒用以惑民；奚足以知君子之用心哉！

召誥無逸

易曰：「擬之而後言，議之而後動。」言者，動之法也。擬以言，非浮明之可以言而卽言；則如其言之議以動，非鑿智之可以動而爲動；道〔之〕所以定，學之所以正也。

夫言者因其故也，故者順其利也。舍其故而趨其新，背其利用而詭於實，浮明之言興而鑿智之動起。莊生曰：「言隱於榮華」，君子有取焉。後世喜爲纖妙之說，陷於佛、老以亂君子之學，皆榮華之言、巧摘字句，以叛性情之固然者，可弗謹哉！

書云：「所其無逸」，言勿逸其所不可逸者也，而東萊呂氏爲之釋曰：「君以無逸爲所」。蔡氏喜其說之巧，因屈召誥「作所不可不敬德」之文，破句以附會之，曰「王敬作所」；浮明惝怳，可以爲言而言之，背其故，違其利，飾其榮華，使趨新者詫爲獨得，古之人則已未如之何而惟其所詁，後之人遂將信爲心法而背道以馳。夫君子言之而以動，必其誠然者而後允得所從，如之何弗謹而疾入異端邪？今以謂「敬」與「無逸」之不可作所，實與名兩相稱也。乃如曰「敬」與「無逸」之可爲所，名之不得其實也。此亦曉然而易知者也。不得其實，且使有實，鑒智足以成之，終古而不利用，用之不利，道何所定而學將奚以致功哉？

何以明其然也？天下無定所也，吾之於天下，無定所也。立一界以爲「所」，前未之聞，自釋氏昉也。境之俟用者曰「所」，用之加乎境而有功者曰「能」。「能」「所」之分，夫固有之，釋氏爲分授之名，亦非誣也。乃以俟用者爲「所」，則必實有其體；以用乎俟用而可以有功者爲「能」，則〔必〕實有其用。體俟用，則(固)〔因〕「所」以發「能」；用　用乎體，則「能」必副其「所」；體用一依其實，不背其故，而名實各相稱矣。

乃釋氏以有爲幻，以無爲實，「惟心惟識」之說，抑矛盾自攻而不足以立。於是詭其詞曰：「空我執而無能，空法執而無所。」然而以心合道，其有「能」有「所」也，則又固然而不容昧。是故其說又不足以立，則抑「能」其「所」，「所」其「能」，消「所」以入「能」，而謂「能」爲「所」，以立其說，說斯立矣。故釋氏凡三變，而以「能」爲「所」之說成。而呂、蔡何是之從也？敬、無逸，「能」也，非「所」也明甚，而以爲「所」，豈非釋氏之言乎？

書之云「敬」，則心之能正者也；其曰「無逸」，則身之能修者也。能正非所正，能修非所修，明矣。今乃「所」其所「能」，抑且「能」其所「所」，不擬而言，使人寓心於無依無據之地，以無著無住爲安心之性境，以隨順物化爲徧行之法位，言之巧而榮華可玩，其背道也，且以毀彝倫而有餘矣。

夫「能」、「所」之異其名，釋氏著之，實非釋氏昉之也。其所謂「能」者卽用也，所謂「所」者卽體也，漢儒之已言者也。所謂「能」者卽思也，所謂「所」者卽位也，大易之已言者也。所謂「能」者卽己也，所謂「所」者卽物也，中庸之已言者也。所謂「能」者，人之弘道者也；所謂「所」者，道之非能弘人者也，孔子之已言者也。援實定名而莫之能易矣。陰陽，所也；變合，能也。仁知，能也；山水，所也。中和，能也；禮樂，所也。

今曰「以敬作所」，抑曰「以無逸作所」，天下固無有「所」，而惟吾心之能作者爲「所」。吾心之能作者爲「所」，則吾心未作而天下本無有「所」，是民嵒之可畏，小民之所依，耳苟未聞，目苟未見，心苟未慮，皆將捐之，謂天下之固無此乎？越有山，而我未至越，不可謂越無山，則不可謂我之至越者爲越之山也。惟吾心之能起爲天下之所起，惟吾心之能止爲天下之所止，卽以是凝之爲區宇，而守之爲依據，三界惟心而心卽界，萬法惟識而識卽法。嗚呼！孰謂儒者而有此哉！

夫粟所以飽，帛所以煖，禮所以履，樂所以樂，政所以正，刑所以侀，民嵒之可畏實有其情，小民之所依誠有其事。不以此爲「所」，而以吾心勤敬之幾、變動不居、因時而措者，謂之「所」焉，吾不知其以敬以無逸者，將拒物而空有其「所」乎？抑執一以廢百而爲之「所」也？執一以廢百，拒物而自立其區宇，其勤也墨氏之胼胝也，其敬也莊氏之心齊也。又其下流，則恃己以忘民嵒之險阻，而謂「天變不足畏，人言不足恤」，如王安石之以亂宋者矣；隳民依之坊表，而謂「五帝不可師，三王不足法」，如李斯之以亡秦者矣。下流之皦，可勝道乎！

如其拒物而空之，則別立一心以治心，如釋氏「心王」「心所」之說，歸於莽蕩，固莫如叛君父，芟須髮，以自居於「意生身」之界，而詫於人曰：「吾嚴淨也，敬以爲所也；吾精進也，無逸以爲所也」；其禍人心，賊仁義，尤酷矣哉！

古之君子以動必議者，其議必有所擬；以言必擬者，其擬必從其實。議天下者，言以天下，天下所允也；議吾心者，言以吾心，吾心所允也。所孝者父，不得謂孝爲父；所慈者子，不得謂慈爲子；所登者山，不得謂登爲山；所涉者水，不得謂涉爲水；鬼神亦有憑依，犬馬亦有品類，惟其允而已矣。天下之所允，吾心之必允也。

故朱子不以無逸爲「所」者，求諸心而不允也。呂氏之以無逸爲魚之水、鳥之林者，未求諸心而姑允之也。嗚呼！斯非可以空言爭矣。知心之體，而可爲「所」不可爲「所」見矣。知身之用，而敬必有所敬，無逸必有所無逸見矣。修辭立其誠，誠者天下之所共見共聞者也。非其誠然者而榮華徒耀，佞人之佞，異端之異，爲君子儒者，如之何其從之！

夫敬者一，而所敬者非一「所」也。以動之敬敬乎靜，則逆億其不必然者而攪其心；以靜之敬敬乎動，則孤守其無可用者而喪其幾。故有所用剛，有所用柔，有所用溫，有所用厲，皆敬也。敬無「所」而後無所不敬也。故曰「作所不可不敬之德」，言不可不敬者，擇之精而後執之固也。敬其可有常「所」乎？

無逸者，則小人之勤勞稼穡，而君子之咸和萬民者也。稼穡惟其「能」，弗勸弗省而無勤；咸和惟其「能」，不康不田而無功，皆「能」也。有成「能」，無定「所」也。非然者，衡石程書者，亦無逸也；夜臥警枕，亦無逸也；衞士傳餐，亦無逸也；乃至浮屠之不食不寢，求師參訪者，皆無逸也。惟立以爲「所」，而其「能」也適以叛道。故曰「所其無逸」，言無逸於所〔不〕當逸者也。其可據無逸以爲「所」乎？

身有無逸之「能」，隨時而利用；心有疾敬之「能」，素位而敦仁。「所」著於人倫物理之中，「能」取諸耳目心思之用。「所」不在內，故心如太虛，有感而皆應。「能」不在外，故爲仁由己，反己而必誠。君子之辨此審矣，而不待辨也。心與道之固然，雖有浮明與其鑿智，弗能誣以不然也。

漢孔氏曰：「敬爲所不可不敬之德」，又曰：「君子之道，所在念德，不可逸豫」。漢無浮屠之亂，儒者守聖言而無榮華之巧，固足尚也。浮屠之說汎濫以淫泆於人心，呂、蔡明拒之而不覺爲其所引，無擬於心理而言之，將使效之動者，賊道而心生於邪，可懼哉！

多士

言道者必以天爲宗也，必以人爲其歸。無道者罔天而咈人之心，以訖乎大惡，於是反其所爲者，索天於隱，恤人之欲而狎之。以此言道，愈矣；其自視也，不但愈也，以爲善惡、道不道之相去若雲泥也。惡知其迷以誣天，驕以玩人，賊人還以自賊，自君子觀之，按其罪而罰之，與彼同科，無末減矣哉？故異端之惡，均於商紂。

奚以明其然邪？索天於隱，則必以天之藏爲已微矣，其顯者不足顧也。狎人之欲，則且見民之有欲，卑賤而無與於道矣，無所可祗敬者也。夫天載存於見聞之表，誠不可謂其不微；人情依於食色之中，誠不可謂其不卑且賤；而無當於道也。佛、老之於此，單其心以測天，亢其志以臨人，固將曰：「不爾則與紂同歸」，而不知惟然之果與紂同歸也。

今夫天，則豈其果微也哉？今夫民，則豈其情已卑已賤而不足與於道也哉？俄而有矣，俄而無矣。孰隆施是？孰銷隕是？相待邪？不相待邪？視不見，聽不聞，思之無眹；以淺心窺天者，求之不得，固謂之微矣。殉財已耳，殉名已耳；與之則喜，奪之則悲；問道而不知，立心而無恆；幻夢也，蠢動也，苶然疲役而不知歸也；以浮氣視人者求其情而不得，固見其可狎而無與於道矣。

夫惟以其淺心浮氣，仰窺天而俯睥睨乎民，乃以謂天之隱微而不知其顯，謂民之不足與於道而弛其畏忌之心，其罔顧於天顯民祗也，與紂均。乃紂惛不知，而彼自欲知之，自謂知之，乃悍然以罔顧，慝尤甚焉。故曰：「惡浮於紂。」惡浮，則罰亦浮焉。彼二氏者，幸爲匹夫以逃於罰，而西晉、蕭梁受其委以嬰死亡之戮，殄宗絕祀，虔劉之禍延於天下。嗚呼！「惟天明威，惟民秉爲」；是之罔顧，而天討不加焉，有是理哉？

若夫天則固顯矣，不耀人以明而顯之日月，不震人以威而顯之霜霆，終古於斯而莫之有易，象可視，聲可聽，數可循，利可用。精而精顯之，五事庶徵不爽矣，五神四德不離矣；粗而粗顯之，父生子繼同其體，愛以彰矣，兄先弟後有其序，敬以著矣。物而物顯之，水火有刑而有德，禽魚有宜殺而有宜育；人而人顯之，師以教而非師莫知，君以治而非君莫聽。無有不顯而顯以其誠，所以然者不可以言語形象盡也，則微亦莫微於其顯者矣。

若夫恍兮若有，惚兮若無，想窮於非想，色窮於究竟，意而揣之爲橐籥，意而揣之爲腰鼓顙，或謂其上有境焉，或謂其上有物焉，則率疑此蒼蒼窈窈者必有難度難測之靈妙，而明明赫赫之明威，特其糟粕而無足顧也。若是者，匿天之顯，天之所弗赦。紂亦曰：「我生不有命在天」，豈有異乎？

人秉耳目，爲視爲聽；人秉手足，爲持爲行；視聽所著，胥有其理；持行所就，各成其事。是故敬其身者身以康，敬其事者身以寧，狂子不能僕役其父，傲弟不能奴虜其兄；棄粟於溷，則匹婦孌然，詛人於市，則稚子失色。天民敬德，德惟民極；俊民敬事，事惟民用；凡民敬政，政奠民生；罷民敬刑，刑戒民死。甘食之事已纖，而燕賓養老，籩豆生乎恪恭；悅色之情已渫，而奉養承先，蘋藻傳其仁孝；崇高富貴天所秩，日用飲食神所弔也。言以之順，事以之成，利以之興，害以之遠，皆不待施敬而民所必敬者也。

若夫以秉爲患，以爲爲妄，以百姓爲芻狗，以父子夫婦爲火宅，以游戲爲三昧，以空諸所有爲正覺，脫然釋縛，逃於無迹，泰然自恣，厭其勞生，則率以爲漚合蕉聚者，無可庸其祗，而不足與於愼修。乃鄙棄秉爲以逃於人倫之外，於必祗者，傲然罔顧也。若是者，侮民之祗，民罔弗憝。紂固曰：「民其如台」，寧有異乎？

夫紂，愚也，愚故天顯民祗，咸罔知顧也。二氏之不顧顯而索之隱，不顧祗而侮其情，自以爲不愚而要亦愚也。罔顧焉，卽其愚也。天下之大惡，惟愚者當之，一愚而惡不可悛矣。

是故擬天以無爲，字天以非想，紂之郊不修、廟不享也，其罔顧天顯而託諸杳茫者均也。絕往來於老死，寄一宿於樹下，紂之瓊其宮、瑤其臺也，其罔顧民祇而苟且自安者均也。二氏求天於微，或欲師之，或欲超之，紂亦以天爲微而置之。紂以民不足祇而虐之，二氏亦以民不足祇而或欲愚之，或欲滅之。故均之爲愚，而沈溺其說者，見絕於天人也亦均。罔顧者，無所不罔也。

嗚呼！王者以誅暴行，君子以殄邪說，辟罪而執言者，其惟此天顯民祇乎！則君子所奉以爲道，以事天而與民同患者，亦惟此天顯民祇而已矣。非天有微而姑用其顯也，非民可狎而過用其愼也。粲然天地之間，固有身心之內；顧瞻在上，明威者法象也；顧瞻在下，秉爲者法象也。明威之謂命，旦旦明威而命旦旦集矣。秉爲之謂性，節所秉之情，盡所爲之才，而性盡矣。生於斯而不可離，死於斯而不可貳；宰制天下而適其固然，垂訓萬世而無可損益。君子修之吉，小人悖之凶，善惡之歸，禍福之門，豈有妄哉！豈有妄哉！

君奭

今將謂君子之無以異於人者，是無擇而爲君子也。今將謂君子之必大異於人者，是人必異而後得爲君子也。故孟子曰：「君子之所以異於人者，以其存心也」，自此以往，末之或異也。侈大其心以爲量，則心放矣。展轉求心以所安，則心存矣。是故君子有終身之憂。憂之也深，則疑之也切，故召公不以坦然推信爲賢。憂之也至，則言之也長，故周公不以聽召公之疑而莫之辨爲聖也。

昔者孔子於衞見南子，於魯欲赴弗擾，於晉欲往中牟，子路屢致其疑。子路之疑，子路之憂也。求諸心而不得，展轉而未愜於其所存；暸然內外之別，粲然臣主之分，存諸中者莫之能易，而不能得之於孔子；其信孔子者，不如信其心之弗欺也，斯子路之所養也。

而不然者，侈大聖人而以爲大異於人，率爾相信而不信以心，將求諸人者重而求諸己者輕，庸愈乎？求諸己則憂，憂則疑，疑則必白其所疑，君子之道也。若夫佹疑佹信，無所待於中心之安，矜廓達以震矜於天下，而表異曰，斯君子所以異於人也，此子路之所羞也。知然而類推之，則召公之所以存心者可知已。

乃孔子之爲此，求於子路之心而不得，孔子之心固無不得也。孔子之心得，孔子之憂其釋矣，任不知者之疑，勿問可矣。然且稱天以涖之，擬不可與之東周以期之，推不可知之堅白以廣之，屑屑然詘曲直而不已，夫孔子何爲其然哉？讀其詞，挹其旨，而孔子之憂深矣。

函物者心之量，存諸中者心之德。量虛而以德爲實，惟其誠也。至誠動物，不誠不動，而不動亦不誠也。乘乎可動，不予以所能動，恢恢乎侈其闊大含弘，聽天下之疑而相與忘言，異端以此表異於天下，人亦推以爲異。而聖人則與萬物同憂，憂而不能以相喻，則修辭以立其誠，道乃建於不可拔，物乃各得而樂效其忱。故孔子屢矢子路，而不憚其詞之費。知然而類推之，則周公之所以存心者可知已。

今且取二公之情理而思之。二叔之流言也，周公去而召公聽，金縢未啓而召公不能倡郊迎之策，斯有以乎？抑無以乎？非召公之測周公者下比於罪人也，抑非知有弗知，力有未逮，而不能止流丸於甌臾也。尸太保之尊，眺宗祉之危，汎汎然無所可否於沖人之側，而召公賢哉！故曰非無以也。尊尊而立子，周之新法也；親親而立弟，殷之已跡也。已跡習知而新法初試，故二叔倡其狂言而天下熒。周公之去，召公之弗挽，固事理之易見者也。而召公之憂，則有甚於此者。

周命初集，沖人在疚，臥赤子於天下之上，其幸無夭折之憂者，非人之所能爲也。藉成王而有太丁之變也，邘、應、晉、韓其足以當天下之重乎？抑必弗獲已，而遺大投艱於叔父乎？皆未可知已。則令且汲汲焉援周公而復之，萬一有此，而公義不可受矣。推之可遠，引之可來，心跡皎然於天下，而後宗祉得留餘地以圖其不傾。召公其能無慮此乎？然則「鴟鴞」之詒，早已不得於召公之心，王未敢誚而召公滋戚已。

且君子之求諸己也，己所存者己所逮，己所逮者己所期。保沖人之強固，以清明綏讎友，以祈天而永命，召公所期，召公所逮，召公所存，胥此矣。度德自己，業已優爲，可無待於周公，則抑可聽其遠引以自潔。若夫殄商踐奄，定宗禮，致太平，延寧王之德，丕冒，海隅出日以率俾，則亦猶孔子之用晉、衞爲東周也。賢者之力所不逮，斯心所不存，志所不期矣。己所不期，恢恢乎期於人而冀其必逮，是求人重而求己輕也。

賢者信諸己而不以徼天，聖人信諸天而得之於己。信諸己，則非常之功雖未遑而無所憾。不以徼天，則天命之延但憂其或墜，而不曰己所能堪。得諸己，則非常之功固以道方來，而勿可委。信諸天，則有以見天休之滋至，惟恐弗戡，而不但或墜之憂。

以爲未遑，則海內率俾，寧王延德，召公且以爲增益於所求之外。以爲勿可委，而商、奄未弭，宗禮未定，周公方且求焉而曲盡其能。以爲天不可徼，則職思其居而日不給，惟是別嫌明微之不可忽；故召公與子路之心，同厲其堅白。以爲天將在我，則安土敦仁而道不可息；故周公雖在几几不暇之日，猶有破巢取子之恐，乃與孔子之心，同致其閔皇。斯二公之以處多難而自靖者，情同而道固異矣。迨周公歸矣，商、奄殄，雒邑營，宗禮定矣，召公且視爲自天之隕，周公則彌引爲無疆之恤。召公固曰何爲是栖栖者與，多得之於天而不已也！蓋召公於嫌似幾微之際，求己以貞，而以期周公者初終此志。始之不挽，特有不言之慼；終以不悅，以是爲可正告而無嫌也。乃弗挽於始，周公亦無可正告之義；終以不悅，自可昌言而無隱；固不以包容之量待召公，而俟論定之餘使心折也。誠不可揜，修辭以立之，則皎日青天之誥作矣。

大舜號泣於父母，文王獻地以專征，周公多誥而不寧，孔子稱天以自矢，順逆勢殊而立誠一致。聖人不釋憂於天下，而存心不匱，豈曰專己無求，與天下以忘言而自得也哉？

後之論者，必爲之說曰：「召公無所致其疑，周公無所容其辨。」目擊道存，是異端之誕也。廓達推信，是英雄之術也。陳平以待王陵，婁師德以處狄仁傑，君臣朋友之間，誠不屬而道衰矣。況乎信之已過，其後必疑；忍之已甚，其卻必深，求以異於嚚嚚，而果有以異焉否邪？言已簡者心必傲，論過高者志必疏，君子所弗屑也。惟夫以小人之心度君子，如爵位先後之說，然後斥之而勿論。

多方一

蔽聖證曰克念，蔽狂證曰罔念。聖狂相去之殊絕，蔽於兩言之決，何易易邪？孰知夫易此兩言者之非能爲其難也，則亦憚此兩言之難而別求其易者也。大哉，念乎！天以爲強之精，地以爲厚之持；四海羣生以爲大之歸，前古後今以爲久之會；大至無窮以爲載之函，細至無畛以爲破之入；易以爲緼，禮以爲誠，詩以爲志，春秋以爲權衡；故曰「克念作聖」，非易辭也。

乃或疑之曰：克者，但能之之謂也；念者，意動而生心者也。所念者特未定矣。之於聖之域乎？之於狂之徑乎？克念而奚卽入於聖？故必目言其所念者伊何，而後聖狂之分以決。乃所念者未易以目言之。道之無方體也久矣。

雖然，則亦有可以目言者。孟子曰：欲知舜與蹠之分，無他，利與善之間也。聖之所克念者，善而已矣。而抑有說焉。利與善，舜、蹠分歧之大辨，則胡不目言善，而但云克念邪？曰：但言克念，而其爲善而非利，決矣。此體念之當人之心而知其固然也。何也？念者，反求而繫於心，尋繹而不忘其故者也。

今夫利，無物不可有，無事不可圖，無人不可徼，義苟不恤，則以無恆不信爲從致之術。故小人之於此也，與波俱流，與汩俱沒，旦此而夕彼，速取而旋舍，目淫而不問之心，心靡而不謀之志。其爲術也，乘機而數變者也，故盜蹠隨所遇而掠之，無固情也；苟得而不憂其失，無反顧也；極至於餔肝膾肉之窮凶，一罔念而已矣。

若夫善也者，無常所而必協於一也，一致而百慮也：有施也必思其受，有益也必計其損；言可言，反顧其行，行可行，追憶其言；後之所爲必續其前，今之所爲必慮其後；萬象之殊不遺於方寸，千載之遠不諠於旦夕。故易曰：「繼之者善也。」天以繼而生不息，日月、水火，動植、飛潛，萬古而無殊象，惟其以來復爲心也。人以繼而道不匱，安危利害，吉凶善敗，閱萬變而無殊心，惟其以勿忘爲養也。目數移於色，耳數移於聲，身數移於境，不可動者在心，不可離者在道，舜之所以爲舜者，在此而已。

通明之謂聖，炯然在心之謂明，終始一貫之謂通，變易之謂狂，惟意而爲之謂易，今昔殊情之謂變。由此言之，彼異端者狂也，其自謂聖而適得狂者，罔念而已矣。

彼之言曰：念不可執也。夫念，誠不可執也。而惟克念者，斯不執也。有已往者焉，流之源也，而謂之曰過去，不知其未嘗去也。有將來者焉，流之歸也，而謂之曰未來，不知其必來也。其當前而謂之現在者，爲之名曰刹那；謂如斷一絲之頃。不知通已往將來之在念中者，皆其現在，而非僅刹那也。莊周曰：「除日無歲」，一日而止一日，則一人之生，亦旦生而暮死，今舜而昨蹠乎！故相續之謂念，能持之謂克，遽忘之謂罔，此聖狂之大界也。

奈之何爲君子之學者，亦曰：「聖人之心如鑑之無留影，衡之無定平，已往不留，將來不慮，無所執於忿恐憂懼而心正！」則亦浮屠之無念而已，則亦莊周之坐忘而已。前際不留，今何所起？後際不豫，今將何爲？狂者登高而歌，非有歌之念也；棄衣而走，非有走之念也。盜者見篋而胠之，見匱而發之，不念其爲何人之篋匱也。夫異端亦如是而已矣。

莊周曰：「逍遙」，可逍遙則逍遙耳，不攖於害，所往而行，蔑不利也，固罔念夫枋榆溟海之大小也。浮屠曰「自在」，可自在則自在耳，上無君父，下無妻子，蔑不利也，固罔念夫天顯民祇之不相離也。故異端者狂之痼疾，蹠之黠者也。

夫舜之爲善，非但於爲而爲之也。於爲而爲之，昭昭靈靈之偶動而不可保。蹠之爲盜，則見可盜而盜之也。未見可盜，惛惛夢夢之知，固未有託也。舜非於爲而爲之，雞鳴而起，念茲在茲，而期副其初心，故孳孳於善而無所息。蹠必見可盜而盜。當其未爲盜，有確然見不爲盜而必不可者乎？無有也。當其爲盜，反諸心而遇其故者乎？當其已爲盜之餘，果且有盜者存乎？無有也。故異端之泯三際以絶念者，縱其無惡，亦與蹠未爲盜之頃同其情，前無所憶，後無所思，苟可爲而無心以爲之，因其便利而無礙，惟利是圖，故罔念也。惟罔念也，故隨所往而得利也。故曰：欲知舜與蹠之分，無他，利與善之間，繫乎念之忘與不忘而已矣。

孔子曰：「默而識之。」識也者，克念之實也。識之量，無多受而溢出之患，故日益以所亡，以充善之用而無不足。識之力，無經久而或渝之憂，故相守而不失，以需善之成。存天地古今於我而恆不失物，存我於君民親友而恆不失我。耳以亶聰，目以貞明，知以知至而知終，行以可久而可大。一日之克，終身不舍；終身之念，終食無違。此豈非「終日乾乾夕惕若」之龍德乎？

乃其爲功也，豈聖之專能而人所不可企及哉？晨而憶起，晦而憶息，客而憶反，居而憶行，亦其端矣。孩提而念親，稍長而念兄，言而念其所聞，行而念其所見，尤其不妄者也。夫人終日而有此矣，故曰易也。

雖然，惟此之爲不易也，甚矣。未能富有，則畜德小而困於所詘；未能日新，則執德吝而滯於其方。私未蠲，則有所甚執者，有所甚忘；欲未淨，則情方動，而或沮之以止。一念之識，不賈於終身者，存乎所志之貞；終身之識，不間於終食者，存乎所藏之密。是故戰戰慄慄，畢其一生而無息肩之地，則爲之也亦難矣哉！無惑乎異端之憚焉而他求其易也。

嗚呼！前古有一成之迹，後今有必開之先。一室者千里之啓塗，兆人者一(日)〔人〕之應感。今與昨相續，彼與此相函。克念之則有，罔念之則亡。人惟此而人，聖惟此而聖，狂惟此而狂，盜惟此而盜，禽惟此而禽，辨乎此而(作)聖之功決矣。

天健行而度不忒，地厚載而方有常。多學多識而一貫，終身可行於一言。知其亡，勿忘其能；瞬有養，息有存。其用在繼，其體在恆，其幾在過去未來現在之三際。於此而罔焉，則殷之遺民不足以復成湯之緒，而自陷於凶者，亦惟數移其心知而不克永念焉耳。嗚呼！嚴哉！

多方二

忠臣孝子之事，與天爭逆順，與人爭存亡，其將以名爭之乎？夫天則不知人之有名也。彼所不爭，挾以與爭，其如天何哉！若夫人，則以名相勝，而在此在彼，俱有可得之名。況乎天下之利，在實而不在名，業已有實而名可起。既得之於實，又得之於名，勢將偏重於彼，而能與之爭乎？故君臣父子之大名，君子以信諸己，而不以爭諸天下，而後可以爭天爭人而全其忠孝。

殷之遺多士，殷之臣子也。君父死，宗社夷，孑然以其族爭大名於周，然且其實不成而名亦不令，周公乃執言以加之罪，曰「不典」，曰「自速辜」，曰「不忌於凶德」。嗚呼！正其本，天下理。夫人必自悔而後人侮之。挾君父之大讎，冒白刃以爭去留之天命，乃周人得聲其罪而無慙，殷士終戢其心而聽命，是豈忠臣孝子之大節，適足以當凶德之惡聲，而天終不可籲哉？夫誠有以致之也。故曰：君子以信諸己，而後可與人爭名實也。

誥固曰：「惟聖罔念作狂，惟狂克念作聖。」念者識去聲也。識斯忱，忱斯信也。誥又曰：「圖忱於正。」正者，周所可與殷爭之名，而忱者殷所不能與周爭之實也。周可有正，而殷不得有忱。故曰：勢將偏重於彼也。

夫殷而不念牧野之事乎？玄黃漿食，舉國如狂，而輕去其君父。流言風雨，復舉國如狂，而自詫以忠孝。十餘年之中，猶旦暮爾。迎周之日，不圖其忱；叛周之日，不忱其圖；旦所爲而夕忘之，胡爲其不自念也！信乎其狂之未有瘳矣。

狂之爲言，易也；言易而不踐，行易而不恆也。言不踐，行不恆，則殷士順逆之名，倒授之周王久矣。使其念之，則如林之日，何惜此肝腦以爭湯孫之線緒？無已，而西山片土，猶可埋餓夫之骨。乃俛伏請命之餘生，幸人家國之變，徼收復之功名，徒以腰領試東征之斨斧，而大命終傾，何其愚也！

故謝疊山之卻聘也，必昭然揭日月以告人曰：「終始未嘗降元也，而後可以死。」而徐子章禹斷髮復奔，不得免於春秋之賤辭。惡有臣僕於仇讎之宇，而尚可圖全其大節乎？

蓋昔之迎周者，「宅爾宅」，「畋爾田」，家室溫飽之情重於節義；則向之「宅爾宅」，「畋爾田」，周已操爾來去之情以相制而責償焉。斯則蠢爾多方，欲辭頑民之名，而人其聽之，而天且予之哉？天且予之，是忠臣之名濫而不足以榮矣。

或曰，忍恥以俟時，懷忠而復起，亦豪傑舉事之圖也。屈於人之彊大，折於君之昏狂，限於衆之離析，不得已而忍旦夕之辱，以俟釁而後發，成則爲句踐之沼吳，敗亦爲遂人之殲齊，何遽其不可邪？乃殷之遺民，則又非其類矣。夫將蘊怨崇恥，若遂人之不擇而逞，以與偕亡，則矐目瘠身，胡越其支體，土梗其家室，而薺飴其鈇鉞，固其所甘心而樂蹈者也。乃爾宅爾田之區區，猶得驚其夢寢，且使人懸樂設餌以止過客也，則其不得與遂人之孤憤同科也，既已明甚。

若其欲蠖屈鷙伏，保一成一旅以覰變與？則抑有道矣。易曰：「安其身而後動，定其交而後求。」交定身安，乃以大有爲於天下。句踐之謀吳也，君與臣比而心一矣，夫與婦比而心一矣，廷與野比而心一矣。比而一心者，皆憂憤勸勉之心也。居者，行者，議者，任者，下逮采葛弋鳥之寡妻稚子，如耳司聽，如目司視，不挾其欲以相怨，不怙其長以相妒，既和以睦，既明以勤，而順可祐，信可助，乃以弋獲不可必得之隼而天不能違。今誥曰：「自作不和，爾室不睦」，則「小民方輿，相爲敵讎」者，猶昔日也。又曰：「爾惟逸惟頗」，則「沈酗於酒，師師非度」者，猶昔日也。浮用其數遷之智，幸孤寡以弋大命；假託於收復之名，樹風影以搖新邦；而噂沓背憎，夫不能得之於妻，父不能得之於子，朋友不能得之於鄉黨，訐短忌長，蠅聚鳥散，晨斯夕斯於酣湎之中；以斯而立忠孝之壘，抗天而爭之於人也，有是理哉？

藉令周公悉心以爲殷人謀，而教以興復之本(可)〔計〕，亦惟是和睦爾婣友，明勤爾邑事，以爲生聚教訓之忱圖。爾之不然，則不足有爲而祗以亂。不謂之狂，其可得乎？故斥正其匪忱，而加以凶德之名，多方雖悍，弗能反脣以相拒也必矣。

易曰：「困而能亨者，其爲君子乎！」「有言不信」，虛名亡實也。「困於酒食」，征則凶也。「據於蒺藜」，內自爭也。「困於金車」，利所陷也。多方備此數者，而欲得大人之吉，洵哉其爲狂矣。小宛詩人，「塡寡」「岸獄」，惟「臨淵」「集木」之是戒；柴桑處士，「同昏」「伊阻」，惟「勸農」「戒子」之不遑。實之弗忱，名之失據，可弗愼與！

立政周官

孔子曰：「殷因於夏禮，所損益可知也。周因於殷禮，所損益可知也。」由此言之，王者創制顯庸，有傳德而無傳道也。體仁以長人，利物以和義，嘉會以合禮，貞固以幹事，君子行此四德耳。千聖之教，百王之治，因天因人，品之節之，分之合之，以立一代之規模者，不度其終以善其始，乃曰吾固以前王爲師，是猶操舟者見上游之張帆，而張之於下游，不背於彼之道而背於其道矣。故傳道者非道也。有所傳，無所擇，唐、虞、夏后、殷、周，胡爲其有損益哉？

立政曰：「克知三有宅心，灼見三有俊心」，徽言之有所受者也。周官曰：「制治於未亂，保邦於未危」，大猷之自昔者也。此以仁守天下，以義經天下，閱千古而莫能易者也。若夫建官之制，周則損益乎殷矣，殷則損益乎虞、夏矣。世已易，俗已移，利已盡，害已生，其可相因而不擇哉？

夫望治者，各以其情欲而思沿革；言治者，各以其意見而議廢興。虞、夏、殷、周之法，屢易而皆可師，惟創制者之取舍，而孔子何以云可知也？夫知之者，非以情，以理也；非以意，以勢也。理勢者，夫人之所知也。理有屈伸以順乎天，勢有重輕以順乎人，則非有德者不與。仁莫切於篤其類，義莫大於扶其紀。篤其類者，必公天下而無疑；扶其紀者，必利天下而不吝。君天下之理得，而後可公於人；君天下之勢定，而後可利於物。是豈汎然取似於古，有所託而遂无咎哉？

唐虞之建官，內有四岳，外有州牧侯伯，此三代之所因也。總百官四國之治者，內有百揆，周之所不因也。故後世有天下而不置相，蓋自周始。

孟子曰：「禹薦益於天」，則夏有相矣。伊尹作阿衡，則商有相矣。抑蔡仲之命曰：「周公位冢宰，正百工。」正百工者，亦總百揆也。奚以謂周之不置相也？

命蔡仲之時，蓋宗禮未定之先，居憂總己之日也。若其後，則冢宰與五官分治，而上有坐論之三公，故成王顧命太保，與五官列序而未有殊。迨其末造，咺、糾、周、孔且僕僕銜命以使侯國，而不適有尊矣。若夫三公職專論道，則以議道而不任以政。且曰「官不必備，惟其人」，是又有無廢置之不恆也。蓋周之不置相也，前乎此者無所因，而始之者文王也。

詩云：「勉勉我王，綱紀四方。」合四方之綱紀，操之於一人之勉勉，周官之制，其昉於此矣。故立政三宅，立事庶尹，取天下之經提攜於一人，而天工無與代焉，故曰文王始之也。

乃今論之，則國勢之彊弱，自此而分矣。彊弱之分者，勢也。勢之順以趨者，理也。則唐、虞、夏、商之統御萬方，而周之陵夷以迄於戰爭分裂者，何非理也！是故后羿之簒四十祀而少康復振，武丁去湯二十世而天下咸歸，紂之不道而牧野之會且如林也。厲王流於彘而天下無君，幽王死於戎而西周無土，平王遷於東而四海無王，故曰：「赫赫宗周，褒姒滅之。」平王之居郟鄏，亦虞賓、周客之類，而周實滅矣，故曰：「瞻烏爰止，於誰之屋！」齊僖主參盟，晉獻滅屈、魏，楚翦絞、羅、申、息，秦據舊京，而烏止於霸者之屋，七雄之勢成，天下苦戰鬬不休，而周不可復興矣。

是何也？天下之情，獨則任，衆則委，賢不肖之所同也。上畀之則不容辭之，人分之則不容任之，貴賤之所同也。貴以其名而不貴以其實，則三公弗容自任矣。賢以其人而不賢以其事，則虛有論道之名而政非其任矣。雖有極尊之位，與其尤賢之才，而上不敢偪天子之威，下不能侵六官之掌，隨乎時而素其位，大舜、孔子莫之能踰，而況其下焉者乎？

故其得也，則以皇父之貪，僅營其多藏，師尹之不平，但私其姻亞，而不能有后羿移神器，崇侯毒四海之權，則惟威之薄而不足以有爲。而其失也，則王臣不尊而廉級不峻，政柄不一而操舍無權，六師無主而征伐不威，名位相若而禮樂下逮；乃使侯國分割，殺掠相仍者五百餘年，以成唐、虞、夏、商未有之禍，而封建之制，遂以瓦解而不可復。嗚呼！文已密而實不固，上無輔而民無依，周官之下游，其勢固有如此者。讀周官而可早識其衰，雖百世何爲其不可知哉？

乃周之所以斷然廢四代之典，而立三公論道、六官分政、以成罷相之制者，文王、周公何爲其然邪？古之君子，備道自己，而於物無憂，故能爲治任功，而不能爲亂任咎，正其誼而先其難，惟其自慊而已矣。代天理民者君也，承君分治者臣也，此天下之通義也。任人者逸，自任者勞，此人情之至順也。堯、舜與天同體，而情無非道，則因其至順，而不必厚求己而薄責於人，安其身而天下自定。文王與天同用，正其通義，躬自厚而薄責於天下，勤其身而不求備於人。詩曰：「文王既勤止」，以勤爲綱紀也。無逸曰：「自朝至於日中昃，不遑暇食」，無與分其勤也。此文王之所以開周也。

故周公見其心而以贊易曰：「君子以自強不息。」蓋自后稷、公劉以來，佩玉容刀，左右於流泉夕陽、檉椐灌栵之間，猶一日也，匪居匪康，其勤無逸，而王業以成。昭茲來許者，亦此祗勤於德，夙夜不逮之祖武而已矣。惟其然也，則天子之耳目心思，殫用之天下；百姓之日用飲食，徧德於一人；道有所未講，三公詔之；治有所欲宣，六官奉之；而又何藉乎承其下者之有相邪？

乃其慮子孫之不己若也，則豫修其胄敎，而青宮之舊學，卽以膺公孤之任。抑恐左右便嬖得密邇於君，操六卿之從違也，則寺人奄尹，領於太宰，但以供埽除漿酒之役；而立政之所申戒者，惟虎賁、綴衣之是飭。嗚呼！咸若是，而天下之治可不待相而裕如矣。

故堯憂不得舜，舜憂不得禹，憂之已得而沛然無勞，此文王所不敢以自逸。而爲子孫謀逸者，其亦不敢以堯、舜望子孫，不能以舜、禹、皐陶期天下之士，則亦追之、琢之於皇躬，操四海兆民於勉勉之中也。若夫昭穆已降，關雎、麟趾之精意已微，而趣馬、師氏、膳夫、內史，且以斗筲分大臣之權，則文王應已早知其弊，而行法俟命，知無可奈何而安之矣。

嗚呼！緣此而後世之以勤勞開國者，恃其精明剛健之才，師周官而一天下之權歸於人主，禁制猜防，上無與分功，而下得以避咎，延及數傳，相承以靡，彼拱此揖，進異族而授之神器，師古無權，而爲謀不遠，又豈非理勢之必然者乎？

夫子孫之有夷、厲，不能必之天者，均也。虎賁、綴衣之不謹，而且使寺人操政府之榮辱矣。三宅、三俊之不克灼知，而以資格爲黜陟矣。司吏者與羣吏同其進退，司兵者無一兵之聽其生殺，名則六卿，而實同府史矣。其進如客，其退如賈，九載無簿書之失，則貤封任子，而翛然謝去矣。天子無親臣，大臣無固位，國蹙民貧，雖有賢者，亦坐歎而無能爲矣。屑屑然取四方之綱紀，責之深宮高拱之一人，而求助於刀鋸刑餘之厮賤；賢者無以治不肖而相與爲竊，貴者無以治賤而相與爲偷；不肖師賢者之竊而以淫，賤者師貴者之偷而以竊；筋力弛，手足痹，目盲耳聾，心頑思短，異類之彊者，其不乘短垣而踰之也乎？故曰：「有關雎、麟趾之精意，而後周官之法度可行。」學周官而弊焉者，未曙於斯義也。

孟子曰：「爲天下得人謂之仁。」堯之大也，舜之君也，末之彊而卒不可弱，得其理而勢自順也。仁以厚其類則不私其權，義以正其紀則不妄於授，保中夏於綱紀之中，交相勉以護人禽之別，豈必恃一人之耳目以弱天下而聽其靡哉？

乃周公之稱古也，曰：「迪惟有夏，乃有室大競」，豈其以唐、虞爲弱，而以家天下自私者爲彊乎？而抑非也。堯、舜之以天下爲公者，秩然於天理之別，使中國恆有明王而競中國也。三代之以世及爲競者，廓然於封建之義，使諸侯各勉於治，而公諸諸侯也。周公以此意而制周官，六官分建，公孤無權，君無逸則天下綱紀於一人，君或逸則天下綱紀乎天下，其爲元德顯功之後，而在分土分民之列者，莫不資以可競之勢也。天子無私競而競以諸侯，諸侯無私競而競以巨室，則其爲齊、晉、秦、楚也，猶其爲周也；其爲田氏六卿也，猶其爲齊、晉也。系出神明，而功及民物，皆可使嗣我以興，仁之至，義之宜也。故周之亡，亡於六國；六國之亡，亡於伯益之子孫；秦之亡，亡於三戶之楚；而以授之帝堯之苗裔，則封建之遺意猶未斬也。

秦、漢以降，封建易而郡縣壹，萬方統於一人，利病定於一言，臣民之上達難矣。編氓可弋大命，夷狄可竊神皋，天子之與立者孤矣。則卽以文王之勤，若將病諸，而概責之錦衣玉食之沖人，散無友紀之六卿，以虛文而理亂絲，彼已不相知而功罪不相一，欲無日偷日窳，以聽封豕長蛇之吞噬也，其可得邪？況乎胄子之敎不先，中涓之勢日固，師師相竊，率土成風，迨其末流，安所得五伯、七雄、三戶而使之崛起，且將無從得莽、操、懿、裕而畀之乘權矣。以此而號曰師周官也，是羸病者奮拳以效賁、育也，速仆而已矣。故師文王者師其德，則允合於堯、舜之傳德矣；師其道則非堯、舜之道也，后有興者其尚鑒之哉！

尚書引義卷六

君陳

天下之相競於名實也，情一動而不能止，物一觸而不能受，故邵子以爲名之生，實之喪，皆不足也。不足，則事不足以濟而實去之；德靳於小名，雖乍勝而終敗。

細人者亦知此矣，於是神其術以游於天下，欲張之必固翕之，欲先之必固後之。見利不爭，以爲豪傑，曰我有忍矣；以德報怨，以爲長者，曰我有容矣。不炫小利而大利歸之，不亟爭名而名不能舍也。斯道也，用兵者以爲制人之機，欲富者以爲巧取之術，養生者以爲緣督之經。是則忍也，容也，異端之所寶，權謀者之所尚也。

成王既見聖，昭昭然揭日月以照臨萬邦，而亦云爾者，何哉？均之忍也，而姑爲忍者與有忍者殊；均之容也，而故相容者與有容者殊。有云者，實有之而可昭昭然揭日月以行者也。非固有之，則忍者非忍而容者非容也。能忍利之不得，而非能忍害，非忍也。能容名之不美，而非容以實，非容也。

夫忍云者，癢而不搔，痛而不抑之謂也。利之不得，且保其固有，非痛癢之相切矣。容云者，非所得而懷之，無所擇而函之之謂也。名之不美，一聽之物論，非存諸懷而函之不去矣。能忍於利，而不能忍於害，利不獲，害亦不侵，是辭利以違害之謀也。名在彼，實固在此，是去名以取實之術也。老氏之教，終於權詐，心與迹判，誠不屬而操物之生死，止此而已矣。

成王曰：「至治馨香，感於神明。」神明者，非可以籠絡之術逃其怨恫者也。竊竊然避害而樂攘其實，是匿蕆於心，人不能傷，而神明之咎惡集之矣。誠於忍者，利不歆而害亦不距；誠於容者，名不競而實亦不爭。誠有之也：知天下之險阻荼毒，皆命之所必受；知物情之刻覈殘忍，皆道之所能格；將有憯肌膚、戮妻子而不動，受垢汚、被攘奪而不懟；志之所至而氣以凝，欲仁得仁，而喪亦仁矣。此之謂有忍，此之謂有容也。此以道濟天下，而成乎大德者也。

蓋苟其爲君子也者，則利之相試也淺矣，名之不歆也易矣。而害之生於不測，實之投以不堪，陰陽不偶之數生乎世變，雖以盛德而履帝王卿相之位，可以惟意所爲，而相抵以相用者不能無也。秉堅凝廣大之素心，乍受之而驚，數嬰之而危，於是不克以自持而爲之搖蕩，雖君子固難言之矣。

且夫所謂害者，不僅憯肌膚、戮妻子也；所謂實者，亦不僅垢汚攘奪也。以事親而養不從心，以獲上而勞不成績，以交友而信且見疑，以治民而恩或中沮；詭於其術則得之，正以其誼則不得；近乎名，不接以利，則雖險而有功；敦乎實，忘乎害，則害益至而實不克就。若此者，萬變不窮，皆不可以理遣，不可以情格者也。斯則尤其難忍而難容者也。

去乎利，非以就乎害；而去乎利，則害必與之相迎。全軀保妻子之福澤，上亦可致效於君親，旁亦可汲引乎朋友，下亦可見功於百姓。旣已與害相迎，而德無可居，功無所試，咎且上延而禍且下逮，平生之所學，夢寐之所志，一旦瓦解而不能復恤，慮及於此，而躍起以求濟，忍道渝矣。有忍者忍此，則征凶而亦利涉也。

名待實以彰，而實亦由名而立。輕去乎名，而天下之欲成其名者去之；且責以名者多爲之疚以沮其實，而無端之恩怨，投仁義中正之巇隙以相爲距；故亂吾名者，不亂吾實不止。吾欲據實以與之爭，則容德虧矣。有容者容此，故德愈不顯而愈大也。

有所忍於利以遠害，有所忍於害而忘利；有所忍於利以遠利，有所忍於害以貞害。遠於利以貞害，而後天下無不可濟之險阻。有所容於敗吾名者以全實，有所容於質吾實者以正名。有所容於敗吾名者而並忘其實，有所容於毀吾實者何有於名？實忘而何有於名，而後君子之德塞乎天地之間，事圮無功而功功者存，道尼不行而行行者遠。功功者以扶人〔物〕之紀，則業參於帝；行行者以通天地之變，則化順於天。至治馨香，感於神明，其此謂與！

斯道也，達以之調陰陽之愆伏，窮以之盡人事之憂患；制治未亂，保邦未危，而利民者不庸；撥亂世，反之治，而定傾者不撓；行夷狄，素患難，而介然以其堅貞之志，與日月爭光，洗心退藏於密，神武不殺，而以神明其德。故周公以之誅管、蔡，殄商、奄，而赤舃之容不改；徙殷民，尹東國，而不靜之迪屢不驚。乃著其象於易曰：「君子以懲忿窒欲。」嗚呼！盡之矣。艮以止而忍以定，兌以說而容以和。樂天敦土，而不足於物，有餘於己，不足於身，有餘於心。君子之以成德爲行，良有樂乎此焉。豈老氏以陰謀持天下之名實，而求濟其大欲者之可同年而語哉！

顧命

老氏曰：「五色令人目盲，五聲令人耳聾，五味令人口爽」，是其不求諸己而徒歸怨於物也，亦愚矣哉！

色、聲、味之在天下，天下之故也。故謂已然之迹。色、聲、味之顯於天下，耳、目、口之所察也。故告子之以食色言性，既未達於天下已然之迹；老氏之以虛無言性，抑未體夫辨色、審聲、知味之原也。由目辨色，色以五顯；由耳審聲，聲以五殊；由口知味，味以五別。不然，則色、聲、味固與人漠不相親，何爲其與吾相遇於一朝而皆不昧也！故五色、五聲、五味者，性之顯也。

天下固有五色，而辨之者人人不殊；天下固有五聲，而審之者古今不忒；天下固有五味，而知之者久暫不違。不然，則色、聲、味惟人所命，何爲乎胥天下而有其同然者？故五色、五聲、五味，道之撰也。

夫其爲性之所顯，則與仁、義、禮、智互相爲體用；其爲道之所撰，則與禮、樂、刑、政互相爲功效。劣者不知所擇，而輿怨焉，則噎而怨農人之耕，火而怨樵者之薪也。人之所供，移怨於人；物之所具，移怨於物；天之所產，移怨於天。故老氏以爲盲目、聾耳、爽口之毒，而浮屠亦謂之曰「塵」。

夫欲無色，則無如無目；欲無聲，則無如無耳；欲無味，則無如無口；固將致怨疾夫父母所生之身，而移怨於父母。故老氏以有身爲大患，而浮屠之(愚)〔惡〕，直以孩提之愛親，爲貪癡之大惑。是其惡之淫於桀、蹠也。

始以愚惰之情，不給於經理，而委罪於進前之利用，以分其疚惡；繼以忿戾之氣，危致其攻擊，而徼幸於一旦之輕安，以謂之天寧；厚怨於物而恕於己，故曰：「小人求諸人。」洵哉，其爲小人之無忌憚者矣！知然，則顧命之言曰：「夫人自亂於威儀」，斯君子求己之道也。

威儀者，禮之昭也。其發見也，於五官四支；其攝持也惟心；其相爲用也，則色、聲、味之品節也。色、聲、味相授以求稱吾情者，文質也。視、聽、食相受而得當於物者，威儀也。文質者，著見之迹，而以定威儀之則。威儀者，心身之所察，而以適文質之中。文質在物，而威儀在己，己與物相得而禮成焉，成之者己也。故曰：「克己復禮爲仁，爲仁由己，而由人乎哉！」君子求諸己而已，故曰「自亂」也。

己有禮，故可求而復，非吾之但有甘食、悅色之情也。天下皆禮之所顯，而求之者由己，非食必使我甘，色必使我悅也。故亂者自亂，亂，不治也。亂之者自亂之，亂，治也。而色、聲、味其何與焉！狂蕩、佻達先生於心而徼於色，淫聲美色因與之合。非己求之，物不我致，而又何怨焉？

色、聲、味自成其天產、地產，而以爲德於人者也。己有其良貴，而天下非其可賤；己有其至善，而天下非其皆惡。於己求之，於天下得之，色、聲、味皆亹亹之用也。求己以己，則授物有權；求天下以己，則受物有主。授受之際而威儀生焉，治亂分焉。故曰：「威儀所以定命。」命定而性乃見其功，性見其功而物皆載德。優優大哉！威儀三千，一色、聲、味之效其質以成我之文者也。至道以有所麗而凝矣。

是故麗於色而目之威儀著焉，麗於聲而耳之威儀著焉，麗於味而口之威儀著焉。威儀（克）〔有〕則，惟物之則；威儀有章，惟物之章。則應乎性之則，章成乎道之章，入五色而用其明，入五聲而用其聰，入五味而觀其所養，乃可以周旋進退，與萬物交，而盡性以立人道之常。色、聲、味之授我也以道，吾之受之也以性。吾授色、聲、味也以性，色、聲、味之受我也各以其道。樂用其萬殊，相親於一本，昭然天理之不昧，其何咎焉！

故五色不能令盲也，盲者盲之，而色失其色矣。五聲不能令聾也，聾者聾之，而聲失其聲矣。五味不能令口爽也，爽者爽之，而味失其味矣。冶容、淫聲、醲甘之味，非物之固然也。目不明，耳不聰，求口實而不貞者，自亂其威儀，取色、聲、味之所未有而揉亂之也。

若其爲五色、五聲、五味之固然者，天下誠然而有之，吾心誠然而喻之；天下誠然而授之，吾心誠然而受之；吾身誠然而授之，天下誠然而受之。禮所生焉，仁所顯焉，非是而人道廢。雖廢人道，而終不能舍此以孤存於天下，徒以喪其威儀，等人道於馬牛而已矣。故君子非不求之天下也，求天下以己，則天下者其天下矣。

君子之求己，求諸心也。求諸心者，以其心求其威儀，威儀皆足以見心矣。君子之自求於威儀，求諸色、聲、味也。求諸色、聲、味者，審知其品節而愼用之，則色、聲、味皆威儀之章矣。目歷玄黃，耳歷鐘鼓，口歷肥甘，而道無不行，性無不率。何也？惟以其不盲、不聾、不爽者受天下之色、聲、味而正也。

藉如彼說，則是天生不令之物以誘人而亂之，將衣冠閥閱無君子，則陋巷深山無小人。充其義類，必且棄君親，捐妻子，薙須髮，火骴骼，延食息於日中樹下，而耳目口體得以靈也。庶物不明，則人倫不察，老釋異派而同歸，以趨於亂，無他，莫求諸己而已矣。

柳下見飴，曰可以養老；盜蹠見飴，曰可以黏牡。弗求諸執醬、饋酳、授筵、設几之威儀，以善飴之用，則是天下之爲飴者，皆可以盜蹠之罪罪之也。失飴之理，妄計以爲盜媒，盲、聾、狂、爽，莫有甚焉者矣。

故求諸己，則天下之至亂，皆可宰制以成大治；設宮縣，廣嬪御，四飯大牢，而非幾不賁。求諸天下，則於天下之無不治者，而皆可以亂。將甕牖、繩樞、疏食、獨宿之中，而庭草、溪花，亦眩其目，鳥語、蛙吹，亦惑其耳，一薇、半李，亦失口腹之正。如露臥驅蚊，撲之於額而已嚙其脅，屏營終夕，而曾莫安枕，則惟帷幬不施而徒爲焦苦也。故曰：「君子坦蕩蕩，小人長戚戚。」老、釋之於天下，日搆怨而未有寧，故喻世法於火宅之內，哀有生在羿彀之中，心勞日拙，豈有瘳與！

黼黻文章，大禹之明也。琴瑟鐘鼓，關雎之化也。食精、膾細，孔子之節也。優優大哉！威儀三千以行於天下，而復禮於己，待其人而後行也。成王憑玉几，揚末命，惟此之云，其居要也夫！

畢命

畢命之言辭也，曰「體要」。於是而或爲之說曰：「辭有定體焉，有扼要焉，挈其扼要而循其定體，人可爲辭，而奚以文爲？體要者質也，質立而文爲贅餘矣。」徇是言也，質文之實交喪於天下，而辭之不足以立誠久矣。

嘗試言之。物生而形形焉，形者質也。形生而象象焉，象者文也。形則必成象矣，象者象其形矣。在天成象而或未有形，在地成形而無有無象。視之則形也，察之則象也，所以質以視章，而文由察著。未之察者，弗見焉耳。

請觀之物。白馬之異於人也，非但馬之異於人也，亦白馬之異於白人也，卽白雪之異於玉也。疏而視之，雪、玉異而白同；密而察之，白雪之白、白玉之白，其亦異矣。人之與馬，雪之與玉，異以質也；其白則異以文也。故統於一白，而馬之白必馬，而人之白必人，玉之白必玉，雪之白必雪。從白類而馬之，從馬類而白之。既已爲馬，又且爲馬之白，而後成乎其爲白馬。故文質不可分，而弗俟合也，則亦無可偏爲損益矣。

資於事父以事君而敬同，同以敬，而非以敬父者敬君。以敬父者施之君，則必傷於草野，而非所以敬君。非所以敬君，不可爲敬。不可爲敬，是不能資於事父而同敬矣。資於事父以事母而愛同，同以愛，而非以愛父者愛母。以愛父者施之母，則必嫌於疏略，而非所以愛母。非所以愛母，不可爲愛。不可爲愛，是不能資於事父而同愛矣。愛敬之同，同以質也。父與君、母之異，異以文也。文如其文而後質如其質也。故欲損其文者，必傷其質。猶以火銷雪，白失而雪亦非雪矣。

故統文爲質，乃以立體；建質生文，乃以居要。體無定也，要不可扼也。有定體者非體，可扼者非要，文離而質不足以立也。

奚以明其然邪？耳、目、手、足之爲體，人相若也，而不相爲貸。非若刻木以爲傀儡，易衣而可別號爲一人也。故疏而視之，相若；密而察之，一紋一理，未有果相似者，因而人各爲質焉。則質以文爲別，而體非有定審矣。

一人之身，居要者心也。而心之神明，散寄於五藏，待感於五官。肝、脾、肺、腎、魂魄，志思之藏也，一藏失理而心之靈已損矣。無目而心不辨色，無耳而心不知聲，無手足而心無能指使，一官失用而心之靈已廢矣。其能孤挹一心以絀羣（明）〔用〕，而可效其靈乎？則質待文生，而非有可挹之要，抑明矣。是故先王視之而得其質，以敦人心之誠，而使有以自立；察之而得其文，以極人心之誠，而使有以自盡；於是而辭興焉。夫辭所以立誠，而爲事之會、理之著也。緣政而有辭，待辭以興政。政無可荒遺而後有恆，故辭無可簡僿而必於能達。奚定體之必拘，而挹要可片言盡哉？

夫西周之誥誓，降而爲春秋之詞命，降而爲戰國之游談，體趨卑而失要，文趨靡而離質，則信然矣。乃其離質以靡者，其將可以爲文乎？其能用足以發其體乎？其能詳足以盡其要乎？蓋亦相承相襲而有雷同之體，執其成見而動人以其要也。是則用不窮而能詳乎體者，戰國之游談固不如春秋之詞命，〔春秋之詞命〕固不如西周之誥（命）〔誓〕矣。

文之靡者非其文，非其文者非其質。猶雪失其白而後失其雪。夫豈有雪去白存之憂！辭之善者，集文以成質。辭之失也，吝於質而萎於文。集文以成質，則天下因文以達質，而禮、樂、刑、政之用以章。

文萎而質不昭，則天下莫勸於其文，而禮、樂、刑、政之施如啖枯木、扣敗鼓，而莫爲之興。蓋離於質者非文，而離於文者無質也。惟質則體有可循，惟文則體有可著。惟質則要足以持，惟文則要足以該。故文質彬彬，而體要立矣。

而後世所號爲辭人者：立一體以盡文之無窮，一開一闔，萬應而約於一定，非是則曰此其佚焉者矣；立一要以斷質之固有，去其所必資，割其所相待，束急而孤露其宗旨，非是則曰此其漫焉者矣。

信然，則且以一馬該天下之馬而無白馬，以一白該天下之白而並無白人；則且異人於馬，而必不許同之於白，見人亦白而謂其非人，而斥之爲馬。筋脈浮出於皮膚之表，而肌肉榮衛萎而不靈，以尺限肘，以寸限指，截長續短，以爲木偶，而生氣生理，了不相屬。

故蘇洵氏之所爲體，非體也。錮天下於蘇洵之體，而文之無窮者盡廢。開闔呼應，斤斤然僅保其一指之節，而官骸皆詘；竭力殫思，以爭求肖於其體。則不知此體也，天下何所需之，而若不能一旦離之也！皎然之於詩律，王鏊、錢福之於制義，亦猶是也，而辭之體裂矣。

韓愈氏之要，非要也。以擢筋出骨者爲要，要其所要，而不足以統天下之詳，則不足以居天下之要矣。漠然無當於興觀，而使人一往而意盡，騷騷乎其野以哀，鼎鼎乎其小人之怒也。則不知此要也，爲何者之要而何所會也！歐陽修之於史，陳師道、鍾惺之於詩，亦祖是也，而辭之要亂矣。

孤露者無體，束急者非要，驅天下於其阱中，而塾師樂用爲授受之資，豎儒圖便爲科場之贄，徒用爭勝於蕭梁父子、溫庭筠、楊億之浮豔，曰吾以起其衰也，而不知其衰之彌甚也。

蔡氏之言曰：「趣完具之謂體。」趣完具者，一切苟且之謂也。誰其督責造物，而令飛潛動植之各有其官骸、莖葉以成體？抑誰其督責立言者，令積字爲句，積句爲章以塞責，而迫不容待，以苟完免咎乎？

先王以人文化成天下，則言道者與道爲體，言物者與物爲體。故必沈潛以覩化，涵泳以得情，各稱其經緯，曲盡其隱微；而後辭之爲體，合符於道與物之體，以起生人之大用。故君子以言爲樞機，而千里之外應之如響。今乃如或督責以應程限，無可奈何，取辦於俄頃，則何異於胥吏之簿書；漠不關心，而徒爲逭責〔乎〕！

張釋之曰：「秦任刀筆吏，以亟疾苛察相高。其敝徒文具而無惻隱之實，」趣完具之謂也。亟疾則鄙，乃以首尾略具而謂之體；苛察則倍，乃以孤露意旨而謂之要。鄙則君子厭之，倍則小人不服。喋喋里巷之言，釋之所惡於嗇夫，康王所戒於利口，皆以其趣完具也。

韓、蘇起衰，人可爲辭。天喪斯文，二子其妖祥之徵見與！「追琢其章，金玉其相」，文王之所以爲文也。「草創討論，脩飾潤色」，孔子之所取以爲命也。夫是之謂體要，而莫有尙焉矣！

冏命

君人者有獨制二，其他則可責之大臣，大臣勿容辭也。二者何，用人也，聽言也。黜陟者一人之大權，從違者一心之獨斷也。

夫人以進御爲情，鮮不飾美以徯用；大臣以薦辟爲職，弗容早用其苛求。迨其進乎君側矣，有所任使，而才不才見矣；（斯）〔漸〕與狎習，而忠佞類可知矣。故不能禁大臣之舉或失人也。正而庸之，諛而屏之，孰能制我以不彰不癉者！奚必夙戒大臣以愼簡乎？

若其既列侍從而有所稱說矣，自非抱道尊高、居德嚴謹者，其爲諛爲正，未嘗不可移也。君崇正則正言御矣，君喜諛則諛言進矣。至若詭於正而實以諛者，雖唐、虞之廷，有巧言之畏。從之違之，豈大臣之能代我以決哉？弗能禁宵人之不諛，而審之於微，辨之於早，密勿之凜測，不敢不嚴，人莫得而與也。戒大臣曰：「爾勿以巧言令色、便辟側媚爲僚，使誘我以自聖而陷於狂也」，何其舍己求人，以曠君職、替君權而自棄其君道邪！

且夫郊遂之官分治於其野，六官之屬各聽於其長，則忠之與佞，才與不才，耳目弗及舉，遴選而責之長官，長官不得委也。乃若左右僕御，行則同輿，居則列侍，日得以其謦欬達於黼扆，則言或巧而或誠，色或莊而或樸，曾是弗審，而相戒曰：「勿使至我前也」，然則天下無曼聲而後耳可無淫，無姣色而後目可不眩乎？秉可緇可素之質，恃大臣以免悔，不則曰「惟予汝辜」，斯亦不自聊之甚矣。

故舜之告禹曰：「格則承之、庸之，否則威之」，君自庸而自威也。伊尹之訓太甲曰：「有言逆於汝心，必求諸道；有言遜於汝志，必求諸非道」；自求之也。周公之戒成王曰：「繼自今立政，其勿以憸人，其惟吉士，用勱相我國家」；自立之也。帝王於左右暬御之臣，察其人，辨其言，知人之不能代我而我不容不愼也如是。則冏命之危言以戒其臣，穆王其有偷心乎！君子於此知世變矣。

雖然，世之弗能不變也，道之不能不降也，君不可不自知也，尤不可不知其後嗣之且不已若也；不可不知其臣也，尤不可不知臣道之已替，風俗之已敝，下游之濫愈不可挽也。文、武徂而王者之道不嗣，周、召沒而大臣之忠不屬，非道法遽忘而敦忠無意也，習使之然也。

前王造王業於艱難，險阻備嘗，情僞畢達，知人既已審矣。而當草昧之際，言之臧否，旋踵而成敗效之，故從違易決，弗憂其莠言之浸漬也。而一時佐命之臣，既秉睿哲之姿，抑以國之興亡爲己之生死，則經營寵祿、求當君心之計不生；故獎進醇良之士，旦夕輩幄以贊其所爲而不相撓。

迨天下之已定矣，人君蒙業而居安，大臣循資以漸進，始之以容保爲心也，猶未失也。乃一有此心，而情流巽愞，則柔輭漸成乎習尙，君不能自振，大臣不能自堅。而希冀榮寵者無可効其奔走之能，以徼利祿於劻勷之地，固將投間抵巇，承顏飾說，以取大臣之汲引。而既廁肘腋，巧持人主之志意，小忠可愛也，小信可任也，所稱說於君前者，說淺而機深，事小而害大；若出於無心，而正其挾意之險；若偶然猝發，而實其積慮之深；旁推曲引以言之，而使君因此以疑彼；陽奪陰予以言之，而使君卽信以增疑；聽之無端，誅之無罪，禍成事敗，追悔而不知其所從。若此者，大臣稍有不〔順〕〔愼〕，卽已墮其術中，抑且曰，此正几授綏之役，聊供頤指，而他何能爲。人君抑曰，此以聊供頤指者也，忠謹無他，而不容擿發者也。惟然，而害不可言矣。

迨及末造，主暗臣姦，而不但此也。主暗則志不定，臣姦則任之也不容專。於是大臣既有可疑之迹，天子因有厚疑大臣之心，上下交猜。大臣匿情不白，乃進靖言厚貌之憸人、使執役於左右，授以意指，乘宴笑而進徵辭；若與大臣相左也，而實以相成，若不欲使大臣之知聞，而實大臣之口授。其言而既售矣，則又且脅持大臣之長短，以制其生命，宮府交違，國是益亂，成乎積重不反之勢，爲大臣者亦將追悔而莫及矣。

西周之季，皇父一挾姦私，而趣馬膳夫，分權交騁。漢唐以下，覆軌相仍，固不可以舜、禹、伊、周之獨斷，望諸末俗之君臣。則穆王申嚴冏命，責以愼簡馭右也，豈過計哉？

度其德無先王之聖哲，度其臣非元聖之棐忱，度其時已非草昧經營人勸於功名之風尚。既無以自保矣，尤不能保繼我者之如我且愈我也。懸一愼簡乃僚之法，以馭右之賢姦，爲太僕正之功罪，則君可以用人之失責之大臣，大臣亦可以聽言之失上責之君。後世有不令之臣，進一姦人，使居禁掖，人得執以糾之曰，天子之狎不順者，誰實使然也。不度之主，即欲拔一倖人置於左右，大臣得執以上爭曰，此臣之辜不敢任也。申屠嘉以譴鄧通，李沆以抑梅詢、曾致堯，而漢、宋之君免於失德，亦其效已。以中主而治道衰之天下，道有高而不可繼也，俗有美而不可狃也，襲獨制之虛名，貽交委之實害，又奚可哉！

故於冏命而知周道之降，抑於冏命而知周之所以永也。「大車檻檻，毳衣如（璊）〔菼〕」，猶有可畏之長吏，建威以讋淫縱，而賓孟之流，終不能爭勝於劉、單，有以也夫！君臣交責以交儆，固守成之中主恃以定傾者也。

呂刑

今欲審先王之法制，亦惟名言之足信而已矣。刑罰之稱，連類並舉，言刑必言罰，有聞自古，未之或易也。而論者乃曰：「罰非古也，奚得哉？舜典曰：「鞭作官刑，扑作敎刑，金作贖刑」，鞭扑分有所屬，而贖統言之，義例明矣。

乃抑爲之訓曰：「贖以施於官敎之刑，而五刑不與。不勤道藝而罰以金，塾師不能行於里社，而況國子乎？」其言曰：「五刑而得贖，則是富者生而貧者死，貧者刑而富者免，將使富人公於殺人而不忌。」夫不揣其本以極其末，則其說伸矣。乃以此爲患，則以施於官敎之刑也，將富者可亢玩公事而弗勤弦誦矣乎？矧呂刑固曰：「五刑疑赦，閱實其罪」，則罰施於疑赦，而殺人及盜不與於贖，明矣。

又或爲之說曰：「先王以道治天下，或抑或揚，以昭德也。故善者登進之以禮，惡者死傷之以刑，以貴人之生而賤其死。貴全其受生之支體而賤其殘，一抑一揚，而仁孝之精意與存焉。如其以罰爲懲，而顯示天下以居財之爲貴，而輸財之爲賤，則胥動其民心於貨賄之有無也。」使然，則以罰故而勸人於貨，抑亦刑殺示懲，而逢、比之禍均於盜殺，亦將貴偷生而賤致命也乎？且民不可使勸於貨賄，而在官之士，入學之良，其宜導以伸廉隅而賤貨賄，又何如邪？

天不以有所毘而廢其陰陽，聖人不以有所蔽而廢其賞罰。正其道於在己，而順其化以無憂，斯亦已矣。如必賤貨賄而不寄以權，則非徒罰敝而賞亦敝。爵祿者，貨賄之所聚也。爵可以訓驕，祿可以訓貪，胥勸天下於富貴之塗，而不憂其榮富貴而輕仁義邪？

易曰：「聖人之大寶曰位，何以聚人曰財」，財者固生人之所不容已也。奪其不容已而病之，故曰：「罰懲非死，人極於病。」古之爲刑罰者，亦率人情之固然而爲之予奪焉，豈有病與？從其觖而觖之，無不觖也。從其善而善之，無不善也。故聖人不免於流俗之譏彈，而昏亂亦有可原之心迹。苟從其觖而峻刑以治失道久散之民，則兔爰雉羅，害之憯於罰也，相千萬而無算。

乃先王之於民也，則既制民以產，班士以祿，抑末業以重農，故富者有以富，貧者有以貧，里比鄉櫛之民，均平齊一於仰事俯育之中，何所得強豪兼并之族，藉有餘之貲以恣其橫哉？迨其後而有居贏懷寶之橫民，倚貨賄以骫法，則惟先王之經法蕩然圮壞，而豈罰之爲法不臧以貽之觖乎？

且即從其觖而言之，愚氓之情，其狠戾粒米，揮斥金錢，輕於受罰，求逞一朝之忿，而不以慘毒其心者，則必貧者也。若其積貪以抵於富，則雖粟朽於倉，幣蠹於藏，而一菽之遺，一銖之散，遂若截肌剜肉，呻吟達旦而不安其寢。故貧者之罹法，苦於其輸，而得當以輸，則若疢疾之去體。富者之罹罰，其輸爲易，而懷之戚戚，長年累歲而不忘。此亦人情之大致矣。

先王之以刑罰懲天下也，外病其身而內病其心。病其身以刑，非但使之毒楚於一朝，毀形殘體，而終其生不能以貌與人齊。病其心以罰，非但使之困窮於期限也，詘而見曲，姦而見擿，輦致其資以輸，而顯爲君子之所奪，則摧抑之辱，內以媿於妻子，外以媿於鄉鄰者，亦未可釋矣。先王極不肖之情，知其私利厚藏之心，可奪之以儆其惡，而抑長養其廉恥以使可悛，彰明其罪戾以使知懲，所以治人之道，曲盡之矣。

然且謂不足以飾吾怒，而必概施以割截。彼姦宄狂驁之徒，凶狡動於中，則死不爲戒，曾墨、劓、剕、宮之足以戢其志哉？富者不以出財爲難，猶夫強者之勝痛楚，頑者之不恤殘形也。五福六極之參差不齊也，不能必善者之富以強。則王者斂極相天，而以嚮以威，亦但能使不善之民富而之貧，壽而之夭，強而之弱。其能取天之貧富強弱不齊之數，等均而極乎重，以使有罪者之必嬰其難受者乎？懲於富者之不畏罰而廢罰，則亦將懲強者頑者之不畏墨、劓、剕、宮而均之於死乎？

惟死則可以概天下而示之威，然且有一往狂夫，甘刀鋸其如飴者。故老子曰：「民不畏死，奈何以死威之！」死且不畏，又將何以懲之？故天不以霜雪之不能凋松柏，而亟施以拔木之風；王者不以刑罰之不能困富強，而概坐以必死之律。正仁義於己，而於物無憂也。然而有不率者，挾富以輕試於法，則抑有「下刑適重上服」之科，以刑故於小。蓋先王之盡人事以相天道，精義入神以利用，至纖悉也。過此以往，未之或知者也與！

知其末流而爲之防，徒立多辟以淫用其威，且使鷙悍之吏，流血成渠而不恤。爲君子之學者，惡惡已甚，倡慘覈之論，淫於申、韓，而不忍之心，潛鑠而不知矣。況夫刑極於上，則賄流於下。千金之子，不死於市，暮夜之金，旁委於吏室。苟官箴之未肅，吾未見富者之克即五刑與貧者均也。

無已，則疑宮剕以下之可贖，而大辟不可，千鍰之罰，其穆王之耄政乎！雖然，大辟之罰，非謂姦宄殺人之不疑於赦者也。罪之所科，固有層累而上積，以至於大辟者矣。輕者抵輕，而倍者重一等矣。倍其所倍，而差以四等；又從而倍之，則大辟之法麗焉。如枉法贓之類。如將於其積重而減與輕齊，如今律罪止杖一百之類。則輕者不服。而人之試於法者，等一刑而何弗犯其重？如將因積重之不當死，乃遞減而輕之，（乃）〔則〕輕者極於無刑，而多所漏矣。因輕者之下刑，而數倍其辜，則不極之大辟而不可。若此者，概置之於一死，而人之死者積矣。今律之有雜犯死罪是也。是豈可與白晝刦殺、加功殺人者，同其斬刈乎？

乃或又爲之說曰：「流宥五刑，爲此言也」，而抑不然。古之以流爲宥者，爲在八議之科耳。故以施之共、驩、蔡、霍，而不下逮於庶人。彼既有爵土，享富貴，涖臣民，長子孫，奉廟祀，則投畀四裔，內不得世食其國邑，外不得身廁於寓公，而罰亦重矣。若夫不軌之罷民，去墳墓，遠親戚，以趨利於四方，視去其鄉如脫敝屣，而流亦何足以懲？至於加之以桎梏，責之以鬼薪城旦之勞，煩冤劇苦之以不得有其生，則既流之而又病之，或從而墨之，是刑罰與流並施於一人之身，後世不仁之政，而豈先王之典哉？況乎投楚夏於煙瘴，驅疲弱於口外，名爲不殺，而假手於谿毒、射工及夷狄之鋒刃，以陰絕其命，恩不足紀而威亦不足立矣。則何似困以罰者之名正而事成，且以開其自新之路也？

藉曰穆王以財匱而訓贖刑，非經國之大猷。乃卽有縱有罪、驕富人之弊，而以視國計已蹙，橫加賦斂，吏緣爲姦，朘削農民者，不猶相逕庭邪？蕭望之刻薄之說，徒以偏辭拒張敞，遊於聖人之門者，不當爲之左袒也。

罰者，非穆王之防也。自唐虞以來，未之或易也。夫豈帝王之不審而爲此哉？天之有六極也，各有所用以施其化，帝王體之而嚮威行焉。六極有貧而罰道行矣。因天之道，審人之情，雖有損益，其何病焉！夫子錄呂刑以著三代之刑章也，以此。

文侯之命

繫小弁於雅，而不與揚之水同列於國風，旌孝子之志也。東周無傳書，而錄文侯之命繼畢冏，存周道之遺也。以平王猶有君人之道焉，故春秋不始平王而始於桓王。

周之下夷於列國而不可復興，自桓王始。宗周之亡，則亡於幽王矣，平王其何咎焉？入春秋之三年，經書天王崩，君子之所悼也。桓王忘親黷貨，失信無刑，而周始降於列國。春秋書武氏子求賻，喪未踰年，親遣童稚求乞諸侯，黷貨辱親，無人子之心也。春秋書從王伐鄭，背先王之信，忘其有功於社稷，奪其政而又加之兵，師敗身傷，爲天下僇，無君人之道也。故周之降於列國，桓王爲之也。於是夫子閔天下之無王，而春秋作。使桓王能繼平王之志而成其事，春秋何爲而作哉！

謂申侯以太子之故，與犬戎攻殺幽王者，司馬遷之妄也。詩序稱西戎、東夷交侵中國，用兵不息而抵於亡，則亡西周者戎也，申侯其何與焉？推投兔道殣之悲，原屬毛離裏之愛，藉令舅氏緣我以爲兵端，君父由我而發大難，其不致死於申以謝先王者，無幾也。「維桑與梓，必恭敬止。」哀哉之子！忍聽母家之弑父而報以屯戍之德哉？故孟子曰：「親親仁也。」申生不忍明見謗之由而死於驪姬，君子曰：此其所以爲恭世子，謂其不足於孝也。故死之非難，而生之不易。幽廢之餘，永懷不替，逝梁發笱，遺愛弗忘，壞木無枝，且惟恐以無後爲不孝之尤，平王之志苦矣。安於放以緩君父之怒，全其身以繼宗祏之守，仁人之道也，故曰仁也。聖人宅心忠恕，而審用權衡，故於小弁存孝子之志，而於文侯之命幸周道之猶存也。非後世一切之論，信史氏之誣，以吹毛羅織者之得與也。

乃擿平王者又曰：棄文、武之故都於不守，東遷而王迹以息。嗚呼！欲責人也必爲之謀，爲之謀者必其可行也，可行而不行，然後責之也未晚。今且築九成之壇，設九擯，三揖再拜，晉彼論者而爲平王謀，又將如之何邪？其致死犬戎，爭一旦之命，如蔡世子有之國滅身死而不恤乎？抑將守茂草之周京，困㡚而亡，如晉懷、愍之坐空城以待縛乎？李綱徼幸於孤注，而徽、欽爲虜，猶自鳴爲忠直。又其甚者，則如光時亨之誤國陷君，而身則降賊以偷生耳。則責平王以輕棄故都者，其大概可知矣。

君天下者，以四海爲守；天子之孝，以宗祀爲重。死社稷者，諸侯之義也。不反兵而報讎者，匹夫之行也。海內之地方七千里，王畿之域，東盡於殷郊，皆天子之所得居也。三塗、嶽鄙，武王之天室也。瀍東、澗西，成王之卜宅也。民病於天夭，財匱於(皇甫)〔星霤〕，諸侯裹足於(烽燧)〔俾靖〕，大夫作室以出居，絃斷不更，柱膠而鼓，守西京之灰燼，棄九有之鴻圖，此不君不孝之尤，以殄絕文、武之景命者，如之何其以此爲天子謀也！惟其遷也，幸則爲靈武之唐，復兩都之鐘虡；不幸而猶爲錢唐之宋，存九廟之宗祧。其視素車繫組，青衣行酒者，自相千萬。豈得以悻悻之怒，硜硜之節，執獨夫一往之意氣，進而謀元后之去留哉？李綱謀之而僨敗，于謙謀之而僨成。勢非景泰而事等靖康，「匪大猷是經，惟邇言是爭」，決裂一朝，而神人無主，悲夫！

然則平王固與唐肅、宋高等，遂可許以仁孝而足君天下乎？夫平王之視二主，固有辨矣。其遇亂而居於外者，均也。乃於小弁見平王之志，則非錮父南宮之心矣。於文侯之命而見平王之所以爲東周者，固非宋高偷安江左之謀也。

少康之復夏也，二斟爲之基，虞、綸爲之輔，歷祀四十，而禹甸如故。周之東遷，晉、鄭焉依，非特立國之所憑，亦興復之所藉也。安其身而後動，則鄭居虢、檜之墟，以鎮撫東方，而固成周之左臂。定其交而後求，則晉臨汾、絳，度衣帶之河水，而卽踐雍州之庭。故其後，晉之持秦者五百餘載，韓不亡而雒邑之九鼎，秦雖暴不敢問也。則平王之授鄭政者，爲綢繆根本之遠圖；而其錫命義和也，乃控制關中之至計。蕭何治三秦，寇恂治河內，漢高、光武所以雖敗而興者，亦此道焉耳。況承文、武、成、康之遺澤，因黍離、陰雨之人心，收后稷、公劉之故土乎？賜之弓矢，假以專征，所以睦晉而制秦也。平王之志深矣。

假令天不啓秦，而周祜未艾，則王師整旅以嚮函、潼，晉人乘虛而渡蒲坂，鄭輯東諸侯以繼其後，問秦人之罪，徙歸之於汧隴，直折箠收之，而不待再舉之勞。乃天不假之以年，文侯早世，鄭武旋亡，寤生安忍無親，成師懷姦內訌，非復有肇刑文、武，捍艱追孝之心。然且平王猶不憚屈體交質，隱忍以圖成其初志，四十餘年之間，猶一日也。志之不終，延及桓王，首修怨於鄭，而致祭足取麥之師；再致怒於鄭，而召祝聃請從之辱；釋西嚮之圖，爭小忿於穴中，而鄭之援失矣。納曲沃之賂，遂其無衣之驕氣，賚尹、武之師，滅義和之（適嗣以故）〔血胤而斬之〕，翼人旣恨其薄恩，曲沃亦狎其猥鄙。迨及武獻，惟蠶食鄰國以啓霸圖，而置宗周於秦、越，則平王之遺意蕩然，而秦得高枕以收文、武之餘民矣。此桓王之所以不王，而春秋之所以託始也。

功之未就者，天也。志之自立者，人也。聖人恕人於功，而原人以志。故存小弁於雅，以〔著〕西周之亡，上有失道之父，而平王惟順之於天；錄文侯之命於書，以〔見〕東周之不王，下有不肖之子，劉毓崧校勘記云：此處所云「不肖」指桓王。然桓王乃平王之孫，「子」當作「孫」。下文「壞於子而功不得就」，「子」亦當作「孫」。而平王已盡乎人。摧於父而志不得伸，猶可以泣告於鬼神而自喻；壞於子而功不得就，乃令千秋以下，舉顚越廢弛之咎，歸過於貽謀之不臧，君子所深閔也。記天王崩於春秋之始，以繼尙書而作，聖人之情見矣。

乃周不亡於犬戎之禍，猶爲弁冕本源以施於赧王也，又豈非平王不可泯之功？而晉、鄭之君，贊東遷之計，「謀之（具）〔其〕臧」，亦不可誣矣。史氏獵傳聞之猥說以誣古人，世儒求備於人而樂稱人之惡。折衷於詩書，以求聖人之褒貶，斯以俟之來哲。

費誓

於牧誓見古之陳法焉，於費誓見古之軍令焉。

夫兵戎之事大矣，不習而臨戎，弟子輿尸之凶也。然而三代之遺文，無多考見，則上不以敎，下不以學，祕之也，愼之也，抑事簡而無容多爲之計也。以此知世所傳太公六韜之書爲戰國暴人之贋作。於尙父之世，無有以此言兵者也。於牧費之誓，見其大略，皆涖戰之日，以警士卒。其先不以論議於帷幕，申飭於訓練者，何也？古之用兵，與後之用兵勢殊而道異。則以三代之軍制，驅束後世以摹倣者，祇以病國，而毒民必矣。

言三代之軍制者，其大端曰寓兵於農。考於二書，則三代非兵其農也，其爲兵也，猶然一農也，寓焉而已矣。

牧誓曰：「不愆於六步、七步，乃止齊焉；不愆於四伐、五伐、六伐、七伐，乃止齊焉。」後世而以此戰也，我欲止齊，而人之弗止、弗齊也，將如之何？止於七步而不進，止於七伐而不殺，氣一息而不能再振也，將如之何？止齊於此，而旁出以相撓也，將如之何？

蓋古之用兵者，以中國戰中國，以友邦戰友邦，以士大夫戰士大夫，卽以農人戰農人。壤相接，人相往來，特從其國君之令以戰，而實其友朋婣亞也。故其戰也，亦農人之爭町畦而相詬，競雞犬而揮拳已耳，無一與一相當、生死不兩立之情也。馳驟控弦以決軍事之利鈍者，車中之甲士耳。步卒之屬，每乘七十二人，勇怯無擇，備什伍以防衝突，護車牛以供芻粟，治井竈以安壁壘而已矣。固農人服役之勞，非壯士折項陷胸之選也。

迨及春秋之季，宋華、向之徒，夕宿宋公之守，晨趨華氏之軍，下弗讎，上弗誅也。足知三代之兵，非兵也，農之寓焉者也。故甸方八里，旁加一里，凡爲里者八。凡七十二井而出一乘之卒。是有田九百畝，當漢以後四百畝有奇。而一人爲兵。征伐數起，民不橫死者，甲士之外，人皆知其農而非兵，不以俘馘爲功也。於是步可有方，伐可有制，兩無重傷，示威而已。

乃流及戰國，原邱甸以起甲兵，旣無不兵之農。吳起、暴鳶、白起、尉繚之屬，以兵爲教，以戰爲學，以級爲賞，以俘爲功，一戰之捷，斬死者數十萬，蓋寓農之制未改，而淫殺之習已成。自列國交爭，以迄秦、漢之際，千載以下，遙聞而心悸。況自漢以降，以除大盜，以禦强夷者乎？如其可如牧誓之步伐止齊也，則農可兵也。既不能然，而驅耕夫於必死之地，徒以僨國。有人之心者，何忍而爲此哉！

費誓曰：「杜乃擭，敜乃穽，無敢傷牿，無敢有寇攘、踰垣牆、竊馬牛、誘臣妾，臣妾逋逃祗復之，我商賚汝」，則兵且防民之侵。兵防民之侵，則兵不侵民可知矣。兵不侵民，而民可侵兵，則民日游於營壘之間，猶農之越陌度阡以相聞也；當其爲兵，無改於其爲農，抑可知矣。

自後世言之，兵固不可爲農，農固不可爲兵也。兵而使爲農，則愛惜情深，而兵之氣餒，故屯田而兵如無兵。農而使爲兵，則坐食習成，而農之氣狂，故汰兵而必起爲盜。無他，兵有不保之生，則無顧恤也。於是而善御兵者，必懸不赦之刑，以擾民爲大禁。

古之用兵者，以義動，不以利興。其充卒伍於行間者，以役行，非以勇選。進而無死亡之害，則不怙死以淩人；退仍井里之氓，則雖于役而不忘其故。君不以利爲功，將不以勝奪利，則兵亦不以一籍戎行而視民爲其刀俎魚肉。兵之情不囂，則農之氣亦靜。

迨及春秋，館穀三日，遂詫以爲大獲。芻槀糧糒，全家計於行陳之中，必無野掠以殘民，亦不因糧於敵國。養其志於采薇、采芑之中，閑其情於藩舍蓋藏之計。故人胥可兵也，而愿慤以馴良者，兵固可農也。

侯國之有侵伐，率有事於比鄰，而無防邊久戍之勞。受命而討不庭，但令服罪而還師，又無追奔搗穴之事。文告先及，四野之人民入保，互相知而互相恤，井不堙而木不伐。今日之往而不彼侵，他日之來而不我傷。故費誓之動色相戒，但自謹司其牛馬臣妾，無殊乎主伯之告亞旅，以警穿窬於倉庾牢溷，而不以剽掠人民申驕橫之禁。如是以爲兵，專靜淳龐之氣，不惩於素，無剽掠之利搖蕩其心而之於貪戾，則車還甲散，仍安其男耕女織之常，兵固可農也。

後世之兵，與狡夷猾盜相逐於千里之外，輜重不相及，樵蘇不能給，禁令雖嚴而弗能止戢，克勝追奔，則馬仗、衣屨、布帛、金錢，狼戾惟其取。非分之獲既蕩其情，坐食之安又習於逸，使反隴畝以竭終歲之勞，而茹荼槔之苦，能保其愜心服先疇者，百不得一也。如其可以費誓之軍令治軍也，則農可兵也。既不能然，而欲重農固本以防民之暴惰也，其敢輕用農民於戎馬之場哉？

夫酌古今以定立國之規，非陳言之可試，久矣。三代之兵，可無兵也。一戰之勝，不足以興王；一戰之敗，禍不及於天下；故得以雍容詳謹之跬步爲陳法，而怯懦之耕夫有以自全於爭鬩之地。三代之兵，不以爲兵也。一詞之失，而整旅以前；一桑之爭，而援枹以起。氣洩詞伸，而各安其生計。故得以謹守輜重，而自保爲軍令，而于役之征夫，初不須有驕縱淫掠之憂。處今之世，用今之人，以保今之天下，可以其道而治軍乎？固不能矣。則農與兵之不可合也，久矣。

以貿首爭衡之法敎其農，而農不能勝，則積尸於原野，而天下無兵。以掠奪淫縱之令禁其兵，而兵固難戢，則人競於貪驕，而天下無農。無兵則夷狄日進，無農則盜賊日繁。善讀古人之書而推廣以論世，尚無以一曲之學禍天下乎哉！

秦誓

言有至是者，不可廢也，而其心則不能如其言。言不以人廢，抑不以其心廢。言苟至是，不可廢也。聖人樂取於人以進天下於善，則亟取之。讀者因言以考事，因事以稽心，則抑因此而得炯戒焉。

秦誓之言，非穆公之心也。穆公所欲爭衡於晉，得志於東方者，夢寢弗忘，則所「昧昧以思」者，終「仡仡之勇夫」也。故公孫枝得以終引孟明帥彭衙之師以拜賜。然而姑爲誓以鳴悔者，其是非交戰之頃，心尚有懲而言軌於正。夫子錄之，錄其言也。取其乍動之天懷，而勿問其隱情內怙，終畔其言之慝，聖人之弘也。夫豈穆公之心哉！

乃於此而爲人臣者，當亂世事詐力之主，其難也甚矣。非君子孰能守貞而免於咎哉？其唯周初之君臣乎！降德國人、修和有夏，以積功而有天下者，卽其以累仁而不爭天下者也。命之未集，不以險詐之謀疲敝天下而收其大利；命之已集，不以文飾之言彌縫天下而避其口實。則君若臣早夜勤謀之華屋之下者，無不可正告天下以無慙。卽或有所未效，亦終不擿其謀之不臧，而誦言以分己之謗。君以不回而干百祿，臣以無過而保功名，至於三世，而虢公、閎夭、南宮括、散宜生、泰顛之功烈昭焉。故君子樂論其世，觀於君臣之際以勸忠也。

夫秦則異是已。乘周之東，竊起而收岐、豐之地；間晉之亂，因釁而啓河東之土。所以肇造邦家者，非有公劉、亶父君、宗、飲、食之恩，宣、理、疆、止之勤也。天下不亂，則秦不能東鄉而有爲；天下有憂，則秦以投間而收利。有時坐睨而持天下之長短，有時挑釁而疲天下於奔命。始於秦仲，訖於始皇，幷諸侯，滅宗周，一六合，皆是術也。

乃既以陰謀祕計徼利於孤寡惸弱以成其功；而時當三代之餘，先王之德教未斬，商、周所以得天下者，已然之迹，必正之名，賢不賢且胥識之，不可欺也，則又惟恐以其中心之蘊、暴著於世，而生人心之怨惡。故幸而僥成，則爲之名曰：「昆吾、韋、顧之湯功，遏密伐崇之文德，亦猶是爾。」其或僨敗，則恆嫁罪於共謀之臣，以塗飾天下而謝咎。夫然，故孟明、西乞、白乙之徒，成不能分功，而敗則爲之任過也。

嗚呼！其始也，固相與屏衆密謀，以徼幸於一旦；事之僨裂，乃昌言以斥之於衆，曰：「仡仡勇夫，我尚不欲，截截諞言，我皇多有之。」呵斥之如犬馬，蔑夷之如草菅也，亦如斯夫！

自是而後，探秦志而爲秦謀者，若商鞅、白起、魏冉、范雎、呂不韋、蒙恬、李斯之流，無不旦席珍而夕路草，進促膝而退囊頭。勞形怵心，力爭以快秦人之欲，而畀以天下；乃放逐誅夷，身受不韙之名，以爲秦分怨於天下。則何秦君之狡，而秦士之愚邪！

此無異故。凡秦人之所謀以得志於天下者，皆非人臣所當進謀於君也。失信無親，利死亡、伺孤寡以貿亂；寓干戈於講和之中，晨賓客而夕寇仇；危其父兄，驅其子弟爲孤注，以徼利於千里；凡此天怒人怨之大慝，憯焉莫恤，而冀戰勝之賞。懷此以事君，是猶助弟以訟兄，訟愈健而弟之疑忌愈深也。忍於人者，無所不忍；譎於人者，無所不譎；立談之頃，早見其心。而欲以此結恩故、保功名於安忍雄猜之主，其可得乎！當其前席傾聽之日，劍已加於其頸矣。

乃秦之臣子，譖訶相仍，誅夷相望，前者已傾，後者罔覺，豈其甘以身名抵陰賊之鋒距邪？此抑有故。蓋秦之所陽尊其名而不欲妒媢者皆所擯棄者，其所譖訶而繼以誅夷者，則所禱祠以求者也。夫人之情，不動於賞罰，而動於人主之好惡。苟非正誼明道、遠利賤功之仁人，則賞罰惑於無端，而好惡移其風尚，其不爲險陂之主所顚倒而樂爲之死亡者，鮮矣。

誓曰：「詢茲黄髮，則罔所愆」，非穆公之情也，國人則知其窮矢感言而非其好也。公又曰：「不替孟明，孤之過也」，亦非穆公之情也，國人則知其詆訶未幾而繼以顯庸也。彭衙之戰，濟河之役，猶資「射御不違」之「仡仡」於孟明，而「黄髮之詢」仍土苴也。故孟明曰：「三年將拜君賜」，亦知逢咎之不長矣。是穆公之誓衆而移罪於三帥者，外以間諸侯之口，內以謝寡妻孤子之痛怨，而非以情也。不然，公孫枝其能終抑無技之老成，違君之怒，力護覆師俘獲之勇夫，以儌不可必之戰功於他日哉？

孟明之徒窺見其心，而樂與之共功名，動於其所好惡，則斥辱不以爲媿，即有死亡之禍，亦其懵不知憂；得不與子車氏同閉三泉，亦僥幸而非有必全之首領矣。彼鞅、起、冉、睢、不韋、斯、恬之徒，一日之力未殫，智未盡，功未竟，過未有所必委，則固可以緩殊刑赤族之禍，而言聽計從，什百於蹇叔、百里之陽尊而陰遠矣。

夫君子出身以任人國家之事，進以當賓友之禮，退以保明哲之身；所守者道也，所重者恥也，所惜者名也。嗟士在廷，昌言其惡，斥爲勇夫，罪以諞言，舉杌隉而歸之於我；彰惡於鄰國，嫁恨於百姓，曾厮役狗馬之不若。苟其有羞惡之心者，亦何爲辱名賤行以強與其謀邪？

嗟夫！王道之息也，德衰功競。士以其身游於蠱壞之世，而處人圖王定霸之間，守經而自靖，則以失時而見侮，揣變以從欲，則以懷詐而見疑。乃守貞且有屯膏之險，而敎猱寧全顧後之圖！安於忍人者疑其不難於背己，險於乘人者畏其不可與有終。樂殺人以爲功，則將以之平怨於寃鬼；多掊利以富國，則必億其厚藏於私家。故蘇秦裂、文種刎、韓信夷、劉晏籍。徇人主之欲，僅取一旦之歡，而極非常之禍，斯亦可爲大哀也矣。

雖然，其不足哀也。彼所爲逢君之隱志，以自詡得志於人主者，其裂人、刎人、夷人、族籍人産，不知凡幾矣。故曰：「出乎爾者反乎爾。」天之所假手以洩焭獨夭椓之怨者，卽此解衣推食、投膠得水之君臣，而亦何遠之有哉！故夫子錄秦誓於書，爲人君得失之衡，抑爲人臣死生之紐也。

黄髮之士，膂力既愆，而裕乃心以裕天下，不逢君於近功小利之傾危，則卽以穆公之崇力尚詐，而拊心自鑒，亦必引咎歸己，而大白其無技之忠忱，以正告天下後世，而不能詘其榮懷；其視孟明之惡不可揜，必加斥辱以謝國人者，榮辱霄壤也。則君子之行己事君，不與世主爲遷流，其必有道矣。

故荀彧隕命，而徐庶全身；孟昶仰藥，而徐廣終老；陸賈稱仁義而榮，侯生售權謀而擯；沈約獲惡謚以死，趙普間流言而危。履信思順者，雖險而不傾；取義蹈仁者，雖死而不辱。安能因人之好惡，以蒸成朝菌之榮光哉！

存亡者天也，死生者命也。寵不驚而辱不屈者，君子之貞也。樂則行而憂則(危)〔違〕者，大人之時也。然則蹇叔、百里，其得道之正與？而抑未也。「蒹葭蒼蒼，白露爲霜」，秦之始興，有伊人矣。「煒煒紫芝，可以療饑」，秦之末造，有冥鴻矣。蠱之上九曰：「不事王侯，高尚其事」，夫子贊之曰：「志可則也。」志足以爲天下則，則與散、閎、顛、括同爲三代之英，「自天祐之，吉無不利」矣。百篇之終秦誓，聖人之志見矣，斯以歷聘列侯而不西渡，龍德而正中也。

四庫全書總目經部書類存目

尚書引義六卷，國朝王夫之撰。夫之有尚書稗疏，已著錄。此復推闡其說，多取後世之事，糾以經義。如論堯典「欽明」，則以闢王氏「良知」；論舜典「玄德」，則以闢老氏「玄旨」；論「依永和聲」，斥宋濂、詹同等用九宮塡郊廟樂章之陋；論「象以典刑」，攻鍾繇、陳羣等言復肉刑之非；論「人心道心」，證釋氏「明心見性」之誤；論「聰明明威」，破呂不韋月令、劉向等五行傳之論；論「甲冑起戎」，見秦、漢以後制置之失；論「知之非艱行之爲艱」，詆朱、陸學術之短；論「洪範九疇」，薄蔡氏數學，目爲無稽；論「周公居東」，鄙季友避難爲無據：議論馳騁，頗根理要。至於「王敬作所不可不敬德」及「所其無逸」等句，從孔傳而非呂、蔡，亦有依據。惟文侯之命以爲與詩錄小弁之意同，爲孔子有取於平王；謂高宗「諒陰」與「豐昵」同爲不惠於義，則其論大創。又謂黃帝至帝舜，皆以相而紹位，古之命相，猶後世之建嗣；又謂虞夏有百揆，商有阿衡，皆相也；至周則六卿各率其屬，周之不置相，自文王起。此皆臆創之詞。他若論微子去紂，恐文王有易置之謀；周公營雒，亦以安商民反側之心，則益涉於權術作用，不可訓矣。

劉毓崧跋

此書就尙書每篇之義引而申之，其體裁近於韓詩外傳、春秋繁露；雖不盡與經義比附，而多於明事有關。就中顯揭其指，人所共知者：如論伊尹弗狎弗順，而惜韓忠定詘於劉瑾；論高宗豐昵，而責張璁、桂萼賴寵逢君；論平王東遷，而罪光時亨陷君誤國：固維世之深心也。即其事未經顯揭，然其意可揣測而知者：如論微子去之，謂恐殷之臣民推戴易置，則以咎蘇觀生擁立唐王之弟監國廣州；論周初官制，謂文王不置相，致周室中衰難振，則以比明代自太祖廢丞相不設，數傳後權移於寺人；論周公營建洛都，謂欲安商民反側，則以諷永明王不宜專居肇慶，憚赴桂林：此亦憂時之夙抱也。雖立說不無駁雜，而秉心則甚純矣。其尤有功於名教大防者：則論多方之殷士，謂頑民既迎周而復叛周者，以匪忱不典，自速其辜，不得附託於忠孝，援春秋之例，貶反覆者爲凶德狂愚，義正詞嚴，森如斧鉞。蓋借是斥吳三桂之進退無據，始爲貳臣，終爲逆臣。此船山所以避僞使之招，自全其貞士逸民之德。其卓識定力，具見於斯，所當表微闡幽，以彰其志節者矣。若夫持論好立異同，前哲名儒，自劉子政以下，皆肆意攻擊，此誠識有所偏。然其所箸各書，大率類此，且有較甚於此者。祇須鑑其失，不必删其書也。至於古文尙書，不知其爲贋本，則自明以前，知者本少，未可獨議船山。况古文雖僞書而不可廢，閻潛邱亦嘗言之。阮文達公引書說云：「古文尙書出於東晉，其中名言法語，以爲出自古聖賢，則聞者尊之。唐宋以後，引經言事，得挽回之力，受講筵之益者，更不可枚舉。學者所當好學深思，心知其意，得古人之盆而不爲古人所愚」，眞不易之論也。然則觀船山此書者，宜重其觸類旁通，可爲陳善沃心之助，擬諸倪鴻寶之兒易，黄石齋之月令明義，其在伯仲之間歟！

同治三年二月，後學儀徵劉毓崧撰。